Marivaux

La Colonie

suivi de

L'Île des esclaves

Présentation, notes, questions et après-texte établis par

Jocelyne Hubert

professeur de Lettres

MAGNARD

Sommaire

BIOGRAPHIE DE MARIVAUX : « L'INDIGENT PHILOSOPHE »

Pierre Carlet de Chamblain de Marivaux est issu d'une famille de noblesse de robe. Il naît à Paris en 1688, mais grandit à Riom (Auvergne) où son père, Nicolas Carlet, occupe la charge de contrôleur, puis de directeur de la Monnaie (1704-1719), charge obtenue grâce au soutien de la famille de son épouse, plus aisée : Anne-Marie Bullet, dont le frère, Pierre Bullet, est architecte royal.

Après des études classiques, Pierre Carlet revient à Paris et s'inscrit à la faculté de droit (1710) dans l'intention de devenir avocat et de succéder à son père comme fonctionnaire royal. Mais dès son arrivée, il fréquente les milieux artistiques et intellectuels, notamment le salon de Mme de Lambert où il ne tarde pas à rallier le camp des Modernes rassemblés autour du philosophe Fontenelle. Grâce au soutien de ce dernier, il publie sa première pièce, *Le Père prudent et équitable*, ainsi que son premier roman, *Les Effets surprenants de la sympathie* (1713), et rejoint le groupe des Modernes dans la rédaction du journal *Le Nouveau Mercure* (1717).

Marivaux vient de débuter une carrière d'écrivain quand il épouse Colombe Bollogne, fille d'un avocat « conseiller du roi » : elle lui apporte une dot qui partira en fumée dans la banqueroute du financier Law (1720). Complètement ruiné, Marivaux, à qui l'on vient de refuser la succession de son père, devient un homme de lettres professionnel. Tout en conservant ses habitudes mondaines, il poursuit la carrière entamée dans ses trois domaines de prédilection. Il crée son propre journal, *Le Spectateur français*

(1721), puis *L'Indigent philosophe* (1727) et *Le Cabinet du philosophe* (1734), avant de revenir au *Mercure* (1751-1758). Dans le même temps, il écrit pour le Théâtre-Italien vingt-sept comédies en prose (dont dix-huit en un acte) et presque autant pour le Théâtre-Français et les théâtres de société. Il publie encore deux romans inachevés : *La Vie de Marianne*, dont la parution s'étend sur dix ans, et *Le Paysan parvenu*, deux autobiographies fictives tout aussi originales dans leurs techniques narratives que dans le choix des vies racontées. Après son élection à l'Académie (1742) – gagnée contre Voltaire –, il se consacre aux séances du dictionnaire et à l'écriture de discours académiques, en forme de « réflexions » morales ou esthétiques.

En 1744, après plus de vingt ans de veuvage, il s'installe avec Mlle de Saint-Jean dans son hôtel particulier, tandis que sa fille unique, faute de dot, entre au couvent. Si sa production théâtrale se ralentit, ses pièces anciennes sont constamment reprises par les Italiens (*L'Île des esclaves*, 1757) et les Comédiens-Français (*La Surprise de l'amour*, 1763). Certaines, trop audacieuses, n'ont pas trouvé leur public du vivant de Marivaux, telle *La Colonie*, publiée en 1750. Du moins, comme l'avait prévu Fréron[1], « la postérité jouira de ses écrits », mais elle n'aura pas comme ses contemporains « l'avantage d'en posséder l'auteur, d'admirer en lui l'accord heureux des talents et des vertus, et de trouver dans l'écrivain estimable le galant homme et le citoyen le plus digne d'être aimé ».

---

1. Critique littéraire (1718-1776), auteur de pamphlets contre Voltaire.

CONTEXTE HISTORIQUE ET CULTUREL : UN MONDE EN MOUVEMENT

De l'absolutisme aux Lumières

Quand Marivaux vient au monde (1688), commence une nouvelle guerre du Roi-Soleil contre une coalition européenne[1], suivie d'une autre encore plus longue[2] au cours de laquelle sont enrôlés 650 000 jeunes Français. Les difficultés économiques et financières qui résultent de ces vingt-cinq années de guerre sont énormes : création de nouveaux impôts (capitation, dixième), dévaluation de la livre tournois, crises de subsistance (famines, épidémies), invention de nouveaux « droits » (taxes). La guerre, seule, suffit à expliquer la « crise de conscience européenne » analysée par les historiens. Ce n'est pas encore la Révolution, mais la contestation grandit. De Fénelon à Voltaire, tous les esprits se mobilisent en faveur de la paix : « Notre mal vient de ce que cette guerre n'a été jusqu'ici que l'affaire du roi, qui est ruiné et discrédité. Il faudrait en faire l'affaire véritable de tout le corps de la nation. »[3]

Quand Marivaux meurt (12 février 1763), se termine la guerre de Sept Ans qui a vu s'affronter la France (aidée de l'Autriche et de la Russie) et l'Angleterre (alliée à la Prusse). Les opérations militaires, essentiellement navales et lointaines (Caraïbes, Québec) coûtent cher. Le traité de Paris (10 février 1763) entérine

---

1. Guerre de la ligue d'Augsbourg (1688-1697) qui se termine par les traités de Ryswick : entre autres clauses, la France s'attribue la partie occidentale de Saint-Domingue (Haïti), première production sucrière du monde.
2. Guerre de Succession d'Espagne (1701-1714) : la défaite de la France entraîne un recul des frontières.
3. Lettre de Fénelon au duc de Chevreuse, 4 avril 1710.

la défaite de la France qui perd le Canada « avec toutes ses dépendances », mais conserve Saint-Domingue. Le recul colonial n'entraîne pas de récession économique : le commerce triangulaire assure la prospérité des villes de Nantes, Saint-Malo, Le Havre, Bordeaux, La Rochelle. Entre 1750 et 1789, on estime à 800 000 le nombre d'Africains achetés sur la côte Ouest et revendus à Saint-Domingue. Cet argent de la traite permet d'acheter sucre, café, tabac, coton, indigo et d'assurer le fret de retour.

En même temps qu'elles s'enrichissent, les provinces tentent de s'émanciper du pouvoir royal (contestation des parlementaires et du tiers état recomposé par une nouvelle répartition des richesses). Mais Louis XV refuse tout compromis : « C'est en ma seule personne que réside la puissance souveraine. » La monarchie absolue a encore de beaux jours devant elle, mais déjà les philosophes en ébranlent le principe de base du « droit divin » : « Aucun homme n'a reçu de nature le droit de commander aux autres. »[1] Et « [...] l'ordre social est un droit sacré qui sert de base à tous les autres. Cependant, ce droit ne vient point de la nature ; il est donc fondé sur des conventions. »[2]

Des *Caractères* (1688) au *Contrat social* (1762)

Si le système politique n'a pas fondamentalement changé, on vit plutôt mieux sous Louis XV que sous Louis XIV : entre les deux, la Régence de Philippe d'Orléans (1715-1723) ouvre une période de paix qui permet la stabilité économique (augmentation de la

1. Article « Autorité politique », rédigé par Diderot pour l'*Encyclopédie* (1751).
2. *Du contrat social ou Principes du droit politique*, chap. I, J.-J. Rousseau (1762).

production agricole et artisanale), l'essor démographique (baisse de la mortalité due aux guerres) et une libération des esprits (l'influence de la religion s'atténue au profit de « l'esprit d'examen »).

En se déplaçant de Versailles à Paris, la Cour cesse d'être le centre exclusif de production des idées. Elle est peu à peu supplantée par les salons, toujours « mondains », comme celui de la duchesse du Maine à Sceaux, mais de plus en plus littéraires et philosophiques. Marivaux les a tous fréquentés : ceux de Mme de Lambert, Mme de Tencin, Mme du Deffand et Mme Geoffrin. Il y a perfectionné son « art de la conversation », base du « marivaudage » théâtral. Artistes et philosophes se rencontrent aussi dans les cafés ou les « clubs », imités de ceux d'Angleterre.

Le goût du Régent pour les sciences (il s'intéresse notamment à la chimie et à l'astronomie) et pour l'art (il compose de la musique) favorise l'extraordinaire foisonnement culturel de l'époque. Le Régent rappelle à Paris (1716) les Comédiens-Italiens qui en avaient été chassés par Louis XIV (1669). Sans eux, le théâtre de Marivaux ne serait pas ce qu'il est : parce qu'ils sont rompus à la *commedia dell'arte* (lazzi[1] et pantomime), ils bougent sur scène – ce que ne font pas les Comédiens-Français, alignés face au public. Parce qu'ils ne maîtrisent pas totalement la langue française, ils sont attentifs aux mots qui permettent d'enchaîner rapidement les répliques, alors que les Français déclament lentement, même les textes de comédie. Les plus grands succès de Marivaux ont été créés par les Italiens.

---

1. Jeux de scène comiques.

Le succès du théâtre pendant la Régence et le règne de Louis XV n'a pas d'équivalent dans notre histoire. Aux troupes permanentes de la Comédie-Française, de la Comédie-Italienne et de l'Académie royale de musique (opéra), il faut ajouter les nombreux théâtres de société et les théâtres de foire.

À la diversité des scènes correspond un éclatement des genres qui alimente la vieille querelle des Anciens et des Modernes. Les tenants des Anciens produisent des tragédies en vers ou des poèmes imités de l'Antiquité. Les Modernes préfèrent la prose et s'intéressent aux mœurs de leur temps. Les classifications de la comédie classique[1] ne résistent pas à la diversité des sujets traités, ni à la variété des tons. Un auteur contemporain propose quatorze critères de classement des pièces de Marivaux ! Les pièces « insulaires » relèvent du genre de l'« utopie sociale », proche des contes philosophiques, mais aussi d'autres pièces de contemporains comme l'*Arlequin sauvage* (1721) de Delisle de La Drevetière. Marivaux, en revanche, a réservé à ses romans les scènes de « comédies sérieuses » ou de « drames bourgeois » dans lesquels s'illustreront Diderot et Sedaine, nouveaux genres qui témoignent d'une évolution non seulement du « monde comme il va », mais des hommes comme ils sont : égaux dans la nature, mais non dans la société où la « moitié de l'esprit humain »[2] opprime l'autre et où la « différence des conditions » autorise les « honnêtes gens du monde » à offenser de « pauvres gens », pourtant « cent fois plus honnêtes gens qu'eux »[3].

1. Comédie d'intrigue, de mœurs, de caractère.
2. *La Colonie*, sc. 13.
3. *L'Île des esclaves*, sc. 10.

RÉSUMÉS DE *LA COLONIE* ET DE *L'ÎLE DES ESCLAVES*

La Colonie

Dans une île indéterminée, les femmes, menées par Arthenice et Mme Sorbin nouvellement élues, décident de se séparer des hommes (sc. 1). Elles en informent les élus-hommes qui se moquent d'elles (sc. 2), renforçant ainsi leur décision (sc. 3). Survient Persinet, amant de Lina, qu'on éconduit (sc. 4). Les deux élues expliquent à Lina qu'il faut abolir le mariage (sc. 5). Un groupe de « députées » vient leur faire prêter serment (sc. 6). Arthenice ouvre la séance par un historique de « l'abaissement des femmes » (sc. 7). Persinet est congédié (sc. 8). Arthenice, secondée par Mme Sorbin, mène des débats en forme de réquisitoire contre le sexe fort (sc. 9). Elles partent préparer une « ordonnance » (sc. 10) et Persinet en profite pour rejoindre Lina qui l'informe des nouvelles lois en préparation (sc. 11). Affolé, Persinet prévient les hommes qui ne prennent pas au sérieux « cette folie-là » (sc. 12). Les femmes réclament aux hommes la parité au gouvernement. Menés par un nouveau venu, Hermocrate, les hommes leur rient au nez (sc. 13). Mme Sorbin annonce à son mari qu'elle le quitte et demande à sa fille de la suivre (sc. 14). Lina obéit à contrecœur (sc. 15). Les hommes se lamentent du départ des femmes, sauf Hermocrate qui leur propose un « accommodement » (sc. 16) : les hommes font semblant de se plier à la volonté des femmes, du moins de la moitié représentée par la noble Arthenice. Mme Sorbin, exclue, réagit : la guerre de classes se substitue à la guerre des sexes (sc. 17). Timagène prétexte une guerre imminente qui persuade les femmes de rentrer chez elles, mais leur promet, au nom des hommes, d'avoir « soin » de leurs droits « dans les usages [qu'ils vont] établir » (sc. 18).

L'Île des esclaves

Dans une île, qui doit son nom à une ancienne « coutume » d'inversion sociale, abordent Iphicrate et Arlequin (sc. 1). Surviennent quelques insulaires, menés par Trivelin qui explique l'origine de la coutume et en précise l'objectif (sc. 2). La loi s'applique aux femmes également et Trivelin interroge Cléanthis sur sa maîtresse Euphrosine, dont elle trace un portrait féroce (sc. 3). Trivelin demande à Euphrosine de reconnaître la vérité du portrait dont elle finit par admettre la ressemblance (sc. 4). Survient Arlequin. Trivelin lui demande un portrait d'Iphicrate. Il en brosse une « ébauche » qu'accepte Iphicrate (sc. 5). Cléanthis engage Arlequin à lui faire la cour à la manière du « grand monde ». Ils décident de pousser le jeu plus loin en séduisant chacun l'ancien(ne) maître(sse) de l'autre (sc. 6). Cléanthis avertit Euphrosine du projet de mariage d'Arlequin sans se soucier des sentiments de la nouvelle suivante (sc. 7). Mais Euphrosine n'a aucun mal à attendrir Arlequin en lui exposant le tragique de sa situation (sc. 8). Il tente alors de convaincre Iphicrate d'aimer « la nouvelle Euphrosine » ; la conversation dévie vers la condition d'esclave : Iphicrate reconnaît avoir abusé de son pouvoir, Arlequin lui pardonne (sc. 9). Entre Cléanthis, suivie d'Euphrosine, qui finit par imiter Arlequin (sc. 10). Trivelin revient : il félicite maîtres et serviteurs de la réussite de l'expérience (sc. 11).

Marivaux
La Colonie

Comédie en un acte et en prose
représentée sur un théâtre de société
et publiée dans le *Mercure* de décembre 1750

ACTEURS

ARTHENICE[1], femme noble.
MADAME SORBIN, femme d'artisan.
MONSIEUR SORBIN, mari de Madame Sorbin.
TIMAGÈNE, homme noble.
LINA, fille de Madame Sorbin.
PERSINET[2], jeune homme du peuple, amant de Lina.
HERMOCRATE[3], autre noble.
Troupe de femmes, tant nobles que du peuple.

1. Sylvia, dans la version de 1729.
2. Arlequin, dans la version de 1729.
3. « Bourgeois et philosophe », se déclare-t-il, sc. 17, l. 30.

La scène est dans une île où sont abordés tous les acteurs.

SCÈNE 1

ARTHENICE, MADAME SORBIN.

ARTHENICE

Ah çà ! Madame Sorbin, ou plutôt ma compagne, car vous l'êtes, puisque les femmes de votre état[1] viennent de vous revêtir du même pouvoir dont les femmes nobles m'ont revêtue moi-même, donnons-nous la main, unissons-nous et n'ayons qu'un même esprit toutes les deux.

MADAME SORBIN, *lui donnant la main.*

Conclusion, il n'y a plus qu'une femme et qu'une pensée ici.

ARTHENICE

Nous voici chargées du plus grand intérêt que notre sexe ait jamais eu, et cela dans la conjoncture[2] du monde la plus favorable pour discuter notre droit vis-à-vis les hommes.

MADAME SORBIN

Oh ! pour cette fois-ci, Messieurs, nous compterons ensemble[3].

---

1. Le « tiers état », par opposition à la noblesse et au clergé : Mme Sorbin est « femme d'artisan ».
2. Situation.
3. Entre femmes, sans les hommes.

ARTHENICE

Depuis qu'il a fallu nous sauver avec eux dans cette île où nous sommes fixées, le gouvernement de notre patrie a cessé.

MADAME SORBIN

Oui, il en faut un tout neuf ici, et l'heure est venue ; nous voici en place[1] d'avoir justice, et de sortir de l'humilité ridicule qu'on nous a imposée depuis le commencement du monde : plutôt mourir que d'endurer plus longtemps nos affronts.

ARTHENICE

Fort bien, vous sentez-vous en effet[2] un courage qui réponde à la dignité de votre emploi ?

MADAME SORBIN

Tenez, je me soucie aujourd'hui de la vie comme d'un fétu[3] ; en un mot comme en cent, je me sacrifie, je l'entreprends. Madame Sorbin veut vivre dans l'histoire et non pas dans le monde.

ARTHENICE

Je vous garantis un nom immortel.

---

1. Être à même.
2. En réalité.
3. Brin de paille.

MADAME SORBIN

Nous, dans vingt mille ans, nous serons encore la nouvelle du jour.

ARTHENICE

Et quand même nous ne réussirions pas, nos petites-filles réussiront.

MADAME SORBIN

Je vous dis que les hommes n'en reviendront jamais. Au surplus, vous qui m'exhortez, il y a ici un certain Monsieur Timagène qui court après votre cœur ; court-il encore[1] ? Ne l'a-t-il pas pris ? Ce serait là un furieux[2] sujet de faiblesse humaine, prenez-y garde.

ARTHENICE

Qu'est-ce que c'est que Timagène, Madame Sorbin ? Je ne le connais plus depuis notre projet : tenez ferme et ne songez qu'à m'imiter.

MADAME SORBIN

Qui ? moi ! Et où est l'embarras ? Je n'ai qu'un mari, qu'est-ce que cela coûte à laisser ? ce n'est pas là une affaire de cœur.

---

1. Poursuit-il (encore) en vain ?
2. Violent.

ARTHENICE

Oh ! j'en conviens.

MADAME SORBIN

Ah ça ! vous savez bien que les hommes vont dans un moment s'assembler sous des tentes, afin d'y choisir entre eux deux hommes qui nous feront des lois ; on a battu le tambour pour convoquer l'assemblée.

ARTHENICE

Eh bien ?

MADAME SORBIN

Eh bien ? il n'y a qu'à faire battre le tambour aussi pour enjoindre à nos femmes d'avoir à mépriser les règlements de ces messieurs, et dresser tout de suite une belle et bonne ordonnance de séparation d'avec les hommes, qui ne se doutent encore de rien.

ARTHENICE

C'était mon idée, sinon qu'au lieu du tambour, je voulais faire afficher notre ordonnance à son de trompe.

MADAME SORBIN

Oui-da, la trompe est excellente et fort convenable.

ARTHENICE

Voici Timagène et votre mari qui passent sans nous voir.

MADAME SORBIN

C'est qu'apparemment ils vont se rendre au Conseil. Souhaitez-vous que nous les appelions ?

ARTHENICE

Soit, nous les interrogerons sur ce qui se passe.

Elle appelle Timagène.

MADAME SORBIN *appelle aussi.*

Holà ! notre homme.

SCÈNE 2

Les acteurs précédents, MONSIEUR SORBIN, TIMAGÈNE.

TIMAGÈNE

Ah ! pardon, belle Arthenice, je ne vous croyais pas si près.

MONSIEUR SORBIN

Qu'est-ce que c'est que tu veux, ma femme ? nous avons hâte.

MADAME SORBIN

Eh ! là, là, tout bellement[1], je veux vous voir, Monsieur Sorbin, bonjour ; n'avez-vous rien à me communiquer, par hasard ou autrement ?

MONSIEUR SORBIN

Non, que veux-tu que je te communique, si ce n'est le temps qu'il fait, ou l'heure qu'il est ?

ARTHENICE

Et vous, Timagène, que m'apprendrez-vous ? Parle-t-on des femmes parmi vous ?

TIMAGÈNE

Non, Madame, je ne sais rien qui les concerne ; on n'en dit pas un mot.

---

1. Doucement.

ARTHENICE

Pas un mot, c'est fort bien fait.

MADAME SORBIN

Patience, l'affiche vous réveillera.

MONSIEUR SORBIN

Que veux-tu dire avec ton affiche ?

MADAME SORBIN

Oh ! rien, c'est que je me parle.

ARTHENICE

Eh ! dites-moi, Timagène, où allez-vous tous deux d'un air si pensif ?

TIMAGÈNE

Au Conseil, où l'on nous appelle, et où la noblesse et tous les notables d'une part, et le peuple de l'autre, nous menacent, cet honnête homme et moi, de nous nommer pour travailler aux lois, et j'avoue que mon incapacité me fait déjà trembler.

MADAME SORBIN

Quoi, mon mari, vous allez faire des lois ?

MONSIEUR SORBIN

Hélas, c'est ce qui se publie, et ce qui me donne un grand souci.

MADAME SORBIN

Pourquoi, Monsieur Sorbin ? Quoique vous soyez massif[1] et d'un naturel un peu lourd, je vous ai toujours connu un très bon gros jugement qui viendra[2] fort bien dans cette affaire-ci ; et puis je me persuade que ces messieurs auront le bon esprit de demander des femmes pour les assister, comme de raison.

MONSIEUR SORBIN

Ah ! tais-toi avec tes femmes, il est bien question de rire !

MADAME SORBIN

Mais vraiment, je ne ris pas.

MONSIEUR SORBIN

Tu deviens donc folle ?

MADAME SORBIN

Pardi, Monsieur Sorbin, vous êtes un petit élu du peuple bien impoli ; mais par bonheur, cela se passera avec une ordonnance, je dresserai des lois aussi, moi.

1. Grossier, dans le sens de « peu raffiné », à rapprocher de la suite : « un peu lourd ».
2. Conviendra.

MONSIEUR SORBIN *rit.*

Toi ! hé ! hé ! hé ! hé !

TIMAGÈNE, *riant.*

Hé ! hé ! hé ! hé !...

ARTHENICE

Qu'y a-t-il donc là de si plaisant ? Elle a raison, elle en fera, j'en ferai moi-même.

TIMAGÈNE

Vous, Madame ?

MONSIEUR SORBIN, *riant.*

Des lois !

ARTHENICE

Assurément.

MONSIEUR SORBIN, *riant.*

Ah bien, tant mieux, faites, amusez-vous, jouez une farce, mais gardez-nous votre drôlerie pour une autre fois, cela est trop bouffon pour le temps qui court.

TIMAGÈNE

Pourquoi ? La gaieté est toujours de saison.

ARTHENICE

La gaieté, Timagène ?

MADAME SORBIN

Notre drôlerie, Monsieur Sorbin ? Courage, on vous en donnera de la drôlerie.

MONSIEUR SORBIN

Laissons là ces rieuses, seigneur Timagène, et allons-nous-en. Adieu, femme, grand merci de ton assistance.

ARTHENICE

Attendez, j'aurais une ou deux réflexions à communiquer à Monsieur l'Élu de la noblesse.

TIMAGÈNE

Parlez, Madame.

ARTHENICE

Un peu d'attention ; nous avons été obligés, grands et petits, nobles, bourgeois, et gens du peuple, de quitter notre patrie pour éviter la mort ou pour fuir l'esclavage de l'ennemi qui nous a vaincus.

MONSIEUR SORBIN

Cela m'a l'air d'une harangue, remettons-la à tantôt, le loisir nous manque.

MADAME SORBIN

Paix, malhonnête[1].

TIMAGÈNE

Écoutons.

ARTHENICE

Nos vaisseaux nous ont portés dans ce pays sauvage, et le pays est bon.

MONSIEUR SORBIN

Nos femmes y babillent trop.

MADAME SORBIN, *en colère.*

Encore !

ARTHENICE

Le dessein est formé d'y rester, et comme nous y sommes tous arrivés pêle-mêle, que la fortune y est égale entre tous, que personne n'a droit d'y commander, et que tout y est confusion, il faut des maîtres, il en faut un ou plusieurs, il faut des lois.

TIMAGÈNE

Hé, c'est à quoi nous allons pourvoir, Madame.

---

1. Impoli.

MONSIEUR SORBIN

Il va y avoir de tout cela en diligence[1], on nous attend pour cet effet.

ARTHENICE

Qui, nous ? Qui entendez-vous par nous ?

MONSIEUR SORBIN

Eh pardi, nous entendons, nous, ce ne peut pas être d'autres.

ARTHENICE

Doucement, ces lois, qui est-ce qui va les faire, de qui viendront-elles ?

MONSIEUR SORBIN, *en dérision.*

De nous.

MADAME SORBIN

Des hommes !

MONSIEUR SORBIN

Apparemment.

ARTHENICE

Ces maîtres, ou bien ce maître, de qui le tiendra-t-on ?

---

1. Vite.

MADAME SORBIN, *en dérision.*

Des hommes.

MONSIEUR SORBIN

Eh ! apparemment.

ARTHENICE

Qui sera-t-il ?

MADAME SORBIN

Un homme.

MONSIEUR SORBIN

Eh ! qui donc ?

ARTHENICE

Et toujours des hommes et jamais de femmes, qu'en pensez-vous, Timagène ? car le gros jugement de votre adjoint ne va pas jusqu'à savoir ce que je veux dire.

TIMAGÈNE

J'avoue, Madame, que je n'entends[1] pas bien la difficulté non plus.

1. Comprends.

ARTHENICE

Vous ne l'entendez pas ? Il suffit, laissez-nous.

MONSIEUR SORBIN, *à sa femme.*

Dis-nous donc ce que c'est.

MADAME SORBIN

Tu me le demandes, va-t-en.

TIMAGÈNE

Mais, Madame...

ARTHENICE

Mais, Monsieur, vous me déplaisez là.

MONSIEUR SORBIN, *à sa femme.*

Que veut-elle dire ?

MADAME SORBIN

Mais va porter ta face d'homme ailleurs.

MONSIEUR SORBIN

À qui en ont-elles ?

MADAME SORBIN

Toujours des hommes, et jamais de femmes, et ça ne nous entend pas.

MONSIEUR SORBIN

Eh bien, après ?

MADAME SORBIN

Hum ! Le butor[1], voilà ce qui est après.

TIMAGÈNE

Vous m'affligez, Madame, si vous me laissez partir sans m'instruire de ce qui vous indispose contre moi.

ARTHENICE

Partez, Monsieur, vous le saurez au retour de votre Conseil.

MADAME SORBIN

Le tambour vous dira le reste ou bien le placard[2] au son de la trompe.

MONSIEUR SORBIN

Fifre[3], trompe ou trompette, il ne m'importe guère ; allons, Monsieur Timagène.

TIMAGÈNE

Dans l'inquiétude où je suis, je reviendrai, Madame, le plus tôt qu'il me sera possible.

---

1. Grossier personnage.
2. Affiche destinée à aviser la population ; a donné *placarder*, synonyme d'*afficher*.
3. Petite flûte traversière, utilisée à l'époque dans les musiques militaires.

SCÈNE 3

MADAME SORBIN, ARTHENICE.

ARTHENICE

C'est nous faire un nouvel outrage que de ne nous entendre pas.

MADAME SORBIN

C'est l'ancienne coutume d'être impertinent de père en fils, qui leur bouche l'esprit.

SCÈNE 4

MADAME SORBIN, ARTHENICE, LINA, PERSINET.

PERSINET

Je viens à vous, vénérable et future belle-mère ; vous m'avez promis la charmante Lina ; et je suis bien impatient d'être son époux ; je l'aime tant, que je ne saurais plus supporter l'amour sans le mariage.

ARTHENICE, *à Madame Sorbin.*

Écartez ce jeune homme, Madame Sorbin ; les circonstances présentes nous obligent de rompre avec toute son espèce.

MADAME SORBIN

Vous avez raison, c'est une fréquentation qui ne convient plus.

PERSINET

J'attends réponse.

MADAME SORBIN

Que faites-vous là, Persinet ?

PERSINET

Hélas ! je vous intercède[1], et j'accompagne ma nonpareille Lina.

---

1. J'intercède auprès de vous ; c'est donc une erreur de construction : un solécisme.

MADAME SORBIN

Retournez-vous-en.

LINA

Qu'il s'en retourne ! eh ! d'où vient[1], ma mère ?

MADAME SORBIN

Je veux qu'il s'en aille, il le faut, le cas le requiert, il s'agit d'affaire d'État.

LINA

Il n'a qu'à nous suivre de loin.

PERSINET

Oui, je serai content de me tenir humblement derrière.

MADAME SORBIN

Non, point de façon de se tenir, je n'en accorde point ; écartez-vous, ne nous approchez pas jusqu'à la paix.

LINA

Adieu, Persinet, jusqu'au revoir ; n'obstinons point[2] ma mère.

1. Pourquoi.
2. Littéralement : « ne rendons pas (ma mère) obstinée », c'est-à-dire « ne la contrarions pas ».

Scène 4

PERSINET

Mais qui est-ce qui a rompu la paix ? Maudite guerre, en attendant que tu finisses, je vais m'affliger tout à mon aise, en mon petit particulier[1].

1. Appartement.

SCÈNE 5

ARTHENICE, MADAME SORBIN, LINA.

LINA

Pourquoi donc le maltraitez-vous, ma mère ? Est-ce que vous ne voulez plus qu'il m'aime, ou qu'il m'épouse ?

MADAME SORBIN

Non, ma fille, nous sommes dans une occurrence[1] où l'amour n'est plus qu'un sot.

LINA

Hélas ! quel dommage !

ARTHENICE

Et le mariage, tel qu'il a été jusqu'ici, n'est plus aussi qu'une pure servitude que nous abolissons, ma belle enfant ; car il faut bien la mettre un peu au fait pour la consoler.

LINA

Abolir le mariage ! Et que mettra-t-on à la place ?

MADAME SORBIN

Rien.

---

1. Circonstance.

LINA

Cela est bien court.

ARTHENICE

Vous savez, Lina, que les femmes jusqu'ici ont toujours été soumises à leurs maris.

LINA

Oui, Madame, c'est une coutume qui n'empêche pas l'amour.

MADAME SORBIN

Je te défends l'amour.

LINA

Quand il y est, comment l'ôter ? Je ne l'ai pas pris ; c'est lui qui m'a prise, et puis je ne refuse pas la soumission.

MADAME SORBIN

Comment soumise, petite âme de servante, jour de Dieu[1] ! soumise, cela peut-il sortir de la bouche d'une femme ? Que je ne vous entende plus proférer cette horreur-là, apprenez que nous nous révoltons.

---

1. Juron féminin.

ARTHENICE

Ne vous emportez point, elle n'a pas été de nos délibérations, à cause de son âge, mais je vous réponds d'elle, dès qu'elle sera instruite. Je vous assure qu'elle sera charmée d'avoir autant d'autorité que son mari dans son petit ménage, et quand il dira : « Je veux », de pouvoir répliquer : « Moi, je ne veux pas. »

LINA, *pleurant.*

Je n'en aurai pas la peine ; Persinet et moi, nous voudrons toujours la même chose ; nous en sommes convenus entre nous.

MADAME SORBIN

Prends-y garde avec ton Persinet ; si tu n'as pas des sentiments plus relevés, je te retranche du noble corps des femmes ; reste avec ma camarade et moi pour apprendre à considérer ton importance ; et surtout qu'on supprime ces larmes qui font confusion à ta mère, et qui rabaissent notre mérite.

ARTHENICE

Je vois quelques-unes de nos amies qui viennent et qui paraissent avoir à nous parler, sachons ce qu'elles nous veulent.

SCÈNE 6

ARTHENICE, MADAME SORBIN, LINA, *quatre femmes, dont deux tiennent chacune un bracelet de ruban rayé.*

UNE DES DÉPUTÉES

Vénérables compagnes, le sexe qui vous a nommées ses chefs, et qui vous a choisies pour le défendre, vient de juger à propos, dans une nouvelle délibération, de vous conférer des marques de votre dignité, et nous vous les apportons de sa part. Nous sommes chargées, en même temps, de vous jurer pour lui une entière obéissance, quand vous lui aurez juré entre nos mains une fidélité inviolable ; deux articles essentiels auxquels on n'a pas songé d'abord.

ARTHENICE

Illustres députées, nous aurions volontiers supprimé le faste dont on nous pare. Il nous aurait suffi d'être ornées de nos vertus ; c'est à ces marques qu'on doit nous reconnaître.

MADAME SORBIN

N'importe, prenons toujours ; ce sera deux parures au lieu d'une.

ARTHENICE

Nous acceptons cependant la distinction dont on nous honore, et nous allons nous acquitter de nos serments, dont l'omission a été très judicieusement remarquée ; je commence.

Elle met sa main dans celle d'une des députées.

Je fais vœu de vivre pour soutenir les droits de mon sexe opprimé ; je consacre ma vie à sa gloire ; j'en jure par ma dignité de femme, par mon inexorable[1] fierté de cœur, qui est un présent du ciel, il ne faut pas s'y tromper ; enfin par l'indocilité d'esprit que j'ai toujours eue dans mon mariage, et qui m'a préservée de l'affront d'obéir à feu mon bourru de mari ; j'ai dit. À vous, Madame Sorbin.

MADAME SORBIN

Approchez, ma fille, écoutez-moi, et devenez à jamais célèbre, seulement pour avoir assisté à cette action si mémorable.

Elle met sa main dans celle d'une des députées.

Voici mes paroles : Vous irez de niveau avec les hommes ; ils seront vos camarades, et non pas vos maîtres. Madame vaudra partout Monsieur, ou je mourrai à la peine. J'en jure par le plus gros juron que je sache ; par cette tête de fer qui ne pliera jamais, et que personne jusqu'ici ne peut se vanter d'avoir réduite, il n'y a qu'à en demander des nouvelles.

UNE DES DÉPUTÉES

Écoutez, à présent, ce que toutes les femmes que nous représentons vous jurent à leur tour. On verra la fin du monde, la race des hommes s'éteindra avant que nous cessions d'obéir à vos ordres ; voici déjà une de nos compagnes qui accourt pour vous reconnaître.

---

1. Inflexible ; qualifiant la « fierté de cœur », souligne la solidité de cette qualité morale.

SCÈNE 7

Les députées, ARTHENICE, MADAME SORBIN, LINA, *une femme qui arrive.*

LA FEMME

Je me hâte de venir rendre hommage à nos souveraines, et de me ranger sous leurs lois.

ARTHENICE

Embrassons-nous, mes amies ; notre serment mutuel vient de nous imposer de grands devoirs, et pour vous exciter à remplir les vôtres, je suis d'avis de vous retracer en ce moment une vive image de l'abaissement où nous avons langui[1] jusqu'à ce jour ; nous ne ferons en cela que nous conformer à l'usage de tous les chefs de parti.

MADAME SORBIN

Cela s'appelle exhorter son monde avant la bataille.

ARTHENICE

Mais la décence veut que nous soyons assises, on en parle plus à son aise.

---

1. Attendu en soupirant.

MADAME SORBIN

Il y a des bancs là-bas, il n'y a qu'à les approcher. *(À Lina.)* Allons, petite fille, alerte[1].

LINA

Je vois Persinet qui passe, il est plus fort que moi, et il m'aidera, si vous voulez.

UNE DES FEMMES

Quoi ! Nous emploierions un homme ?

ARTHENICE

Pourquoi non ? Que cet homme nous serve, j'en accepte l'augure.

MADAME SORBIN

C'est bien dit ; dans l'occurrence présente, cela nous portera bonheur. *(À Lina.)* Appelez-nous ce domestique.

LINA *appelle.*

Persinet ! Persinet !

---

1. Renforcement de l'impératif « allons ».

SCÈNE 8

Tous les acteurs précédents, PERSINET.

PERSINET *accourt.*

Qu'y a-t-il, mon amour ?

LINA

Aidez-moi à pousser ces bancs jusqu'ici.

PERSINET

Avec plaisir, mais n'y touchez pas, vos petites mains sont trop délicates, laissez-moi faire.

Il avance les bancs, Arthenice et Madame Sorbin, après quelques civilités[1]*, s'assoient les premières ; Persinet et Lina s'assoient tous deux au même bout.*

ARTHENICE, *à Persinet.*

J'admire la liberté que vous prenez, petit garçon, ôtez-vous de là, on n'a plus besoin de vous.

MADAME SORBIN

Votre service est fait, qu'on s'en aille.

1. Politesses.

LINA

Il ne tient presque pas de place, ma mère, il n'a que la moitié de la mienne.

MADAME SORBIN

À la porte, vous dit-on.

PERSINET

Voilà qui est bien dur !

SCÈNE 9

Les femmes susdites.

ARTHENICE, *après avoir toussé et craché*[1].

L'oppression dans laquelle nous vivons sous nos tyrans, pour être si ancienne, n'en est pas devenue plus raisonnable ; n'attendons pas que les hommes se corrigent d'eux-mêmes ; l'insuffisance de leurs lois a beau les punir de les avoir faites à leur tête et sans nous, rien ne les ramène à la justice qu'ils nous doivent, ils ont oublié qu'ils nous la refusent.

MADAME SORBIN

Aussi le monde va, il n'y a qu'à voir.

ARTHENICE

Dans l'arrangement des affaires, il est décidé que nous n'avons pas le sens commun, mais tellement décidé que cela va tout seul, et que nous n'en appelons pas nous-mêmes.

UNE DES FEMMES

Hé ! que voulez-vous ? On nous crie dès le berceau : « Vous n'êtes capables de rien, ne vous mêlez de rien, vous n'êtes bonnes à rien qu'à être sages. » On l'a dit à nos mères qui l'ont cru, qui nous le répètent ; on a les oreilles rebattues de ces mau-

1. Geste caractéristique des orateurs « à l'antique ».

vais propos ; nous sommes douces, la paresse s'en mêle, on nous mène comme des moutons.

MADAME SORBIN

Oh ! pour moi, je ne suis qu'une femme, mais depuis que j'ai l'âge de raison, le mouton n'a jamais trouvé cela bon.

ARTHENICE

Je ne suis qu'une femme, dit Madame Sorbin, cela est admirable !

MADAME SORBIN

Cela vient encore de cette moutonnerie.

ARTHENICE

Il faut qu'il y ait en nous une défiance bien louable de nos lumières pour avoir adopté ce jargon-là ; qu'on me trouve des hommes qui en disent autant d'eux ; cela les passe[1] ; venons au vrai pourtant : vous n'êtes qu'une femme, dites-vous ? Hé ! que voulez-vous donc être pour être mieux ?

MADAME SORBIN

Eh ! je m'y tiens, Mesdames, je m'y tiens, c'est nous qui avons le mieux, et je bénis le ciel de m'en avoir fait participante, il m'a comblée d'honneurs, et je lui en rends des grâces nonpareilles.

---

1. Dépasse.

UNE DES FEMMES

Hélas ! cela est bien juste.

ARTHENICE

Pénétrons-nous donc un peu de ce que nous valons, non par orgueil, mais par reconnaissance.

LINA

Ah ! si vous entendiez Persinet là-dessus, c'est lui qui est pénétré suivant[1] nos mérites.

UNE DES FEMMES

Persinet n'a que faire ici ; il est indécent de le citer.

MADAME SORBIN

Paix, petite fille, point de langue ici, rien que des oreilles ; excusez, Mesdames ; poursuivez, la camarade.

ARTHENICE

Examinons ce que nous sommes, et arrêtez-moi, si j'en dis trop ; qu'est-ce qu'une femme, seulement à la voir ? En vérité, ne dirait-on pas que les dieux en ont fait l'objet de leurs plus tendres complaisances ?

1. En ce qui concerne ; tournure familière.

UNE DES FEMMES

Plus j'y rêve, et plus j'en suis convaincue.

UNE DES FEMMES

Cela est incontestable.

UNE AUTRE FEMME

Absolument incontestable.

UNE AUTRE FEMME

C'est un fait.

ARTHENICE

Regardez-la, c'est le plaisir des yeux.

UNE FEMME

Dites les délices.

ARTHENICE

Souffrez que j'achève.

UNE FEMME

N'interrompons-point.

UNE AUTRE FEMME

Oui, écoutons.

UNE AUTRE FEMME

Un peu de silence.

UNE AUTRE FEMME

C'est notre chef qui parle.

UNE AUTRE FEMME

Et qui parle bien.

LINA

Pour moi, je ne dis mot.

MADAME SORBIN

Se taira-t-on ? car cela m'impatiente !

ARTHENICE

Je recommence : regardez-la, c'est le plaisir des yeux ; les grâces et la beauté, déguisées sous toutes sortes de formes, se disputant à qui versera le plus de charme sur son visage et sur sa figure. Eh ! qui est-ce qui peut définir le nombre et la variété de ces charmes ? Le sentiment les saisit, nos expressions n'y sauraient atteindre. *(Toutes les femmes se redressent ici. Arthenice continue.)* La femme a l'air noble, et cependant son air de douceur enchante.

Les femmes ici prennent un air doux.

UNE FEMME

Nous voilà.

MADAME SORBIN

Chut !

ARTHENICE

C'est une beauté fière, et pourtant une beauté mignarde[1] ; elle imprime un respect qu'on n'ose perdre, si elle ne s'en mêle ; elle inspire un amour qui ne saurait se taire ; dire qu'elle est belle, qu'elle est aimable, ce n'est que commencer son portrait ; dire que sa beauté surprend, qu'elle occupe, qu'elle attendrit, qu'elle ravit, c'est dire, à peu près, ce qu'on en voit, ce n'est pas effleurer ce qu'on en pense.

MADAME SORBIN

Et ce qui est encore incomparable, c'est de vivre avec toutes ces belles choses-là, comme si de rien n'était ; voilà le surprenant, mais ce que j'en dis n'est pas pour interrompre, paix !

ARTHENICE

Venons à l'esprit, et voyez combien le nôtre a paru redoutable à nos tyrans ; jugez-en par les précautions qu'ils ont prises pour l'étouffer, pour nous empêcher d'en faire usage ; c'est à filer, c'est à la quenouille, c'est à l'économie de leur maison,

1. Mignonne et délicate.

c'est au misérable tracas[1] d'un ménage, enfin c'est à faire des nœuds, que ces messieurs nous condamnent.

UNE FEMME

Véritablement, cela crie vengeance.

ARTHENICE

Ou bien, c'est à savoir prononcer sur des ajustements[2], c'est à les réjouir dans leurs soupers, c'est à leur inspirer d'agréables passions, c'est à régner dans la bagatelle[3], c'est à n'être nous-mêmes que la première de toutes les bagatelles ; voilà toutes les fonctions qu'ils nous laissent ici-bas ; à nous qui les avons polis[4], qui leur avons donné des mœurs, qui avons corrigé la férocité de leur âme ; à nous, sans qui la terre ne serait qu'un séjour de sauvages, qui ne mériteraient pas le nom d'hommes.

UNE DES FEMMES

Ah ! les ingrats ; allons, Mesdames, supprimons les soupers dès ce jour.

UNE AUTRE

Et pour des passions, qu'ils en cherchent.

---

1. Occupation, au sens large.
2. Habillements : les femmes aident les hommes à choisir leurs toilettes.
3. Futilité : chose sans importance.
4. Éduqués, civilisés.

MADAME SORBIN

En un mot comme en cent, qu'ils filent[1] à leur tour.

ARTHENICE

Il est vrai qu'on nous traite de charmantes, que nous sommes des astres, qu'on nous distribue des teints de lis et de roses, qu'on nous chante dans les vers, où le soleil insulté pâlit de honte à notre aspect, et comme vous voyez, cela est considérable ; et puis les transports, les extases, les désespoirs dont on nous régale, quand il nous plaît.

MADAME SORBIN

Vraiment, c'est de la friandise qu'on donne à ces enfants.

UNE AUTRE FEMME

Friandise, dont il y a plus de six mille ans que nous vivons.

ARTHENICE

Et qu'en arrive-t-il ? que par simplicité[2] nous nous entêtons du vil honneur de leur plaire, et que nous nous amusons bonnement[3] à être coquettes, car nous le sommes, il en faut convenir.

UNE FEMME

Est-ce notre faute ? Nous n'avons que cela à faire.

---

1. Filent la laine.
2. Naïveté.
3. Simplement.

ARTHENICE

Sans doute; mais ce qu'il y a d'admirable[1], c'est que la supériorité de notre âme est si invincible, si opiniâtre, qu'elle résiste à tout ce que je dis là, c'est qu'elle éclate et perce encore à travers cet avilissement où nous tombons; nous sommes coquettes, d'accord, mais notre coquetterie même est un prodige.

UNE FEMME

Oh! tout ce qui part de nous est parfait.

ARTHENICE

Quand je songe à tout le génie, toute la sagacité, toute l'intelligence que chacune de nous y met en se jouant, et que nous ne pouvons mettre que là, cela est immense; il y entre plus de profondeur d'esprit qu'il n'en faudrait pour gouverner deux mondes comme le nôtre, et tant d'esprit est en pure perte.

MADAME SORBIN, *en colère.*

Ce monde-ci n'y gagne rien; voilà ce qu'il faut pleurer.

ARTHENICE

Tant d'esprit n'aboutit qu'à renverser de petites cervelles qui ne sauraient le soutenir, et qu'à nous procurer de sots compliments que leurs vices et leur démence, et non pas leur raison,

---

1. Étonnant.

nous prodiguent ; leur raison ne nous a jamais dit que des injures.

MADAME SORBIN

Allons, point de quartier[1] ; je fais vœu d'être laide, et notre première ordonnance sera que nous tâchions de l'être toutes. *(À Arthenice.)* N'est-ce pas, camarade ?

ARTHENICE

J'y consens.

UNE DES FEMMES

D'être laides ? Il me paraît à moi que c'est prendre à gauche[2].

UNE AUTRE FEMME

Je ne serai jamais de cet avis-là, non plus.

UNE AUTRE FEMME

Eh ! mais qui est-ce qui pourrait en être ? Quoi ! s'enlaidir exprès pour se venger des hommes ? Eh ! tout au contraire, embellissons-nous, s'il est possible, afin qu'ils nous regrettent davantage.

UNE AUTRE FEMME

Oui, afin qu'ils soupirent plus que jamais à nos genoux, et

---

1. Point de pitié.
2. Se tromper de chemin.

qu'ils meurent de douleur de se voir rebutés[1] ; voilà ce qu'on appelle une indignation de bon sens, et vous êtes dans le faux, Madame Sorbin, tout à fait dans le faux.

MADAME SORBIN

Ta, ta, ta, ta, je t'en réponds, embellissons-nous pour retomber[2] ; de vingt galants qui se meurent à nos genoux, il n'y en a quelquefois pas un qu'on ne réchappe[3], d'ordinaire on les sauve tous ; ces mourants-là nous gagnent[4] trop, je connais bien notre humeur, et notre ordonnance tiendra ; on se rendra laide ; au surplus ce ne sera pas si grand dommage, Mesdames, et vous n'y perdrez pas plus que moi.

UNE FEMME

Oh ! doucement, cela vous plaît à dire, vous ne jouez pas gros jeu, vous ; votre affaire est bien avancée.

UNE AUTRE

Il n'est pas étonnant que vous fassiez si bon marché de vos grâces.

UNE AUTRE

On ne vous prendra jamais pour un astre.

---

1. Repoussés.
2. Rechuter.
3. Sauve d'un grand danger.
4. Profitent de nous.

LINA

Tredame[1], ni vous non plus pour une étoile.

UNE FEMME

Tenez, ce petit étourneau, avec son caquet[2].

MADAME SORBIN

Ah ! pardi, me voilà bien ébahie ; eh ! dites donc, vous autres pimbêches[3], est-ce que vous croyez être jolies ?

UNE AUTRE

Eh ! mais, si nous vous ressemblons, qu'est-il besoin de s'enlaidir ? Par où s'y prendre ?

UNE AUTRE

Il est vrai que la Sorbin en parle bien à son aise.

MADAME SORBIN

Comment donc, la Sorbin ? m'appeler la Sorbin ?

LINA

Ma mère, une Sorbin !

---

1. Juron féminin : déformation de *Notre-Dame*.
2. Gloussement (de l'étourneau) ; métaphore filée.
3. Femmes prétentieuses ; péjoratif.

MADAME SORBIN

Qui est-ce qui sera donc madame ici ; me perdre le respect de cette manière ?

ARTHENICE, *à l'autre femme.*

Vous avez tort, ma bonne, et je trouve le projet de Madame Sorbin très sage.

UNE FEMME

Ah ! je le crois ; vous n'y avez pas plus d'intérêt qu'elle.

ARTHENICE

Qu'est-ce que cela signifie ? M'attaquer moi-même ?

MADAME SORBIN

Mais voyez ces guenons, avec leur vision de beauté ; oui, Madame Arthenice et moi qui valons mieux que vous, voulons, ordonnons et prétendons qu'on s'habille mal, qu'on se coiffe de travers, et qu'on se noircisse le visage au soleil.

ARTHENICE

Et pour contenter ces femmes-ci, notre édit[1] n'exceptera qu'elles, il leur sera permis de s'embellir, si elles le peuvent.

1. Acte législatif.

MADAME SORBIN

Ah ! que c'est bien dit ; oui, gardez tous vos affiquets[1], corsets, rubans, avec vos mines et vos simagrées[2], qui font rire, avec vos petites mules ou pantoufles où l'on écrase un pied qui n'y saurait loger, et qu'on veut rendre mignon en dépit de sa taille, parez-vous, parez-vous, il n'y a pas de conséquence.

UNE DES FEMMES

Juste ciel ! qu'elle est grossière ! N'a-t-on pas fait là un beau choix ?

ARTHENICE

Retirez-vous ; vos serments vous lient, obéissez ; je romps la séance.

UNE DES FEMMES

Obéissez ? voilà de grands airs.

UNE DES FEMMES

Il n'y a qu'à se plaindre, il faut crier.

TOUTES LES FEMMES

Oui, crions, crions, représentons.

---

1. Petits bijoux agrafés aux vêtements ; connotation péjorative.
2. Gestes peu naturels, destinés à attirer l'attention.

MADAME SORBIN

J'avoue que les poings me démangent.

ARTHENICE

Retirez-vous, vous dis-je, ou je vous ferai mettre aux arrêts.

UNE DES FEMMES, *en s'en allant avec les autres.*

C'est votre faute, Mesdames, je ne voulais ni de cette artisane, ni de cette princesse, je n'en voulais pas, mais l'on ne m'a pas écoutée.

SCÈNE 10

ARTHENICE, MADAME SORBIN, LINA.

LINA

Hélas ! ma mère, pour apaiser tout, laissez-nous garder nos mules et nos corsets.

MADAME SORBIN

Tais-toi, je t'habillerai d'un sac si tu me raisonnes.

ARTHENICE

Modérons-nous, ce sont des folles ; nous avons une ordonnance à faire, allons la tenir prête.

MADAME SORBIN

Partons ; *(à Lina)* et toi, attends ici que les hommes sortent de leur Conseil, ne t'avise pas de parler à Persinet s'il venait, au moins ; me le promets-tu ?

LINA

Mais... oui, ma mère.

MADAME SORBIN

Et viens nous avertir dès que des hommes paraîtront, tout aussitôt.

SCÈNE 11

LINA, *un moment seule*, PERSINET.

LINA

Quel train[1] ! Quel désordre ! Quand me mariera-t-on à cette heure ? Je n'en sais plus rien.

PERSINET

Eh bien, Lina, ma chère Lina, contez-moi mon désastre[2] ; d'où vient que Madame Sorbin me chasse ? J'en suis encore tout tremblant, je n'en puis plus, je me meurs.

LINA

Hélas ! ce cher petit homme, si je pouvais lui parler dans son affliction.

PERSINET

Eh bien ! vous le pouvez, je ne suis pas ailleurs.

LINA

Mais on me l'a défendu, on ne veut pas seulement que je le regarde, et je suis sûre qu'on m'épie.

---

1. Désigne l'ensemble des choses qui constituent la marche du monde. On dit encore : « du train où vont les choses ».
2. Malheur.

PERSINET

Quoi ! me retrancher vos yeux ?

LINA

Il est vrai qu'il peut me parler, lui, on ne m'a pas ordonné de l'en empêcher.

PERSINET

Lina, ma Lina, pourquoi me mettez-vous à une lieue d'ici ? Si vous n'avez pas compassion de moi, je n'ai pas longtemps à vivre ; il me faut même actuellement un coup d'œil pour me soutenir.

LINA

Si pourtant, dans l'occurrence, il n'y avait qu'un regard qui pût sauver mon Persinet, oh ! ma mère aurait beau dire, je ne le laisserais pas mourir.

Elle le regarde.

PERSINET

Ah ! le bon remède ! je sens qu'il me rend la vie ; répétez, m'amour, encore un tour de prunelle pour me remettre tout à fait.

LINA

Et s'il ne suffisait pas d'un regard, je lui en donnerais deux, trois, tant qu'il faudrait.

Elle le regarde.

PERSINET

Ah ! me voilà un peu revenu ; dites-moi le reste à présent ; mais parlez-moi de plus près et non pas en mon absence.

LINA

Persinet ne sait pas que nous sommes révoltées.

PERSINET

Révoltées contre moi ?

LINA

Et que ce sont les affaires d'État qui nous sont contraires.

PERSINET

Eh ! de quoi se mêlent-elles ?

LINA

Et que les femmes ont résolu de gouverner le monde et de faire des lois.

PERSINET

Est-ce moi qui les en empêche ?

LINA

Il ne sait pas qu'il va tout à l'heure nous être enjoint[1] de rompre avec les hommes.

PERSINET

Mais non pas avec les garçons ?

LINA

Qu'il sera enjoint d'être laides et mal faites avec eux, de peur qu'ils n'aient du plaisir à nous voir, et le tout par le moyen d'un placard au son de la trompe.

PERSINET

Et moi je défie toutes les trompes et tous les placards du monde de vous empêcher d'être jolie.

LINA

De sorte que je n'aurai plus ni mules, ni corset, que ma coiffure ira de travers et que je serai peut-être habillée d'un sac ; voyez-vous à quoi je ressemblerai.

1. Ordonné.

PERSINET

Toujours à vous, mon petit cœur.

LINA

Mais voilà les hommes qui sortent, je m'enfuis pour avertir ma mère. Ah ! Persinet ! Persinet !

Elle fuit.

PERSINET

Attendez donc, j'y suis ; ah ! maudites lois, faisons ma plainte à ces messieurs.

SCÈNE 12

MONSIEUR SORBIN, HERMOCRATE, TIMAGÈNE, *un autre homme*, PERSINET.

HERMOCRATE

Non, seigneur Timagène, nous ne pouvons pas mieux choisir ; le peuple n'a pas hésité sur Monsieur Sorbin, le reste des citoyens n'a eu qu'une voix pour vous, et nous sommes en de bonnes mains.

PERSINET

Messieurs, permettez l'importunité : je viens à vous, Monsieur Sorbin ; ces affaires d'État me coupent la gorge, je suis abîmé[1] ; vous croyez que vous aurez un gendre et c'est ce qui vous trompe ; Madame Sorbin m'a cassé[2] tout net jusqu'à la paix ; on vous casse aussi, on ne veut plus des personnes de notre étoffe, toute face d'homme est bannie ; on va nous retrancher à son de trompe, et je vous demande votre protection contre un tumulte.

MONSIEUR SORBIN

Que voulez-vous dire, mon fils ? Qu'est-ce que c'est qu'un tumulte ?

---

1. Perdu, mis en mauvaise posture.
2. Renvoyé.

PERSINET

C'est une émeute, une ligue, un tintamarre, un charivari sur le gouvernement du royaume ; vous saurez que les femmes se sont mises tout en un tas[1] pour être laides, elles vont quitter les pantoufles, on parle même de changer de robes, de se vêtir d'un sac, et de porter les cornettes[2] de côté pour nous déplaire ; j'ai vu préparer un grand colloque, j'ai moi-même approché les bancs pour la commodité de la conversation ; je voulais m'y asseoir, on m'a chassé comme un gredin ; le monde va périr, et le tout à cause de vos lois, que ces braves dames veulent faire en communauté avec vous, et dont je vous conseille de leur céder la moitié de la façon[3], comme cela est juste.

TIMAGÈNE

Ce qu'il nous dit est-il possible ?

PERSINET

Qu'est-ce que c'est que des lois ? Voilà une belle bagatelle en comparaison de la tendresse des dames !

HERMOCRATE

Retirez-vous, jeune homme.

---

1. En groupe.
2. Coiffes en étoffe dissimulant les cheveux, comme les coiffures des religieuses.
3. Fabrication (des lois).

PERSINET

Quel vertigo[1] prend-il donc à tout le monde ? De quelque côté que j'aille, on me dit partout : « Va-t'en » ; je n'y comprends rien.

MONSIEUR SORBIN

Voilà donc ce qu'elles voulaient dire tantôt ?

TIMAGÈNE

Vous le voyez.

HERMOCRATE

Heureusement, l'aventure est plus comique que dangereuse.

UN AUTRE HOMME

Sans doute.

MONSIEUR SORBIN

Ma femme est têtue, et je gage qu'elle a tout ameuté, mais attendez-moi là ; je vais voir ce que c'est, et je mettrai bon ordre à cette folie-là quand j'aurai pris mon ton de maître ; je vous fermerai le bec à cela ; ne vous écartez pas, Messieurs.

Il sort par un côté.

TIMAGÈNE

Ce qui me surprend, c'est qu'Arthenice se soit mise de la partie.

---

1. Fantaisie (familier) ; à l'origine, se dit du malaise d'un cheval qui chancelle et va de travers.

SCÈNE 13

TIMAGÈNE, HERMOCRATE, *l'autre homme*, PERSINET, ARTHENICE, MADAME SORBIN, *une femme avec un tambour et* LINA *tenant une affiche.*

ARTHENICE

Messieurs, daignez répondre à notre question ; vous allez faire des règlements pour la république, n'y travaillerons-nous pas de concert[1] ? À quoi nous destinez-vous là-dessus ?

HERMOCRATE

À rien, comme à l'ordinaire.

UN AUTRE HOMME

C'est-à-dire à vous marier quand vous serez filles, à obéir à vos maris quand vous serez femmes, et à veiller sur votre maison : on ne saurait vous ôter cela, c'est votre lot.

MADAME SORBIN

Est-ce là votre dernier mot ? Battez tambour ; *(et à Lina)* et vous, allez afficher l'ordonnance à cet arbre.

On bat le tambour et Lina affiche.

HERMOCRATE

Mais, qu'est-ce que c'est que cette mauvaise plaisanterie-là ?

---

1. Ensemble.

Parlez-leur donc, seigneur Timagène, sachez de quoi il est question.

TIMAGÈNE

Voulez-vous bien vous expliquer, Madame ?

MADAME SORBIN

Lisez l'affiche, l'explication y est.

ARTHENICE

Elle vous apprendra que nous voulons nous mêler de tout, être associées à tout, exercer avec vous tous les emplois, ceux de finance, de judicature[1] et d'épée.

HERMOCRATE

D'épée, Madame ?

ARTHENICE

Oui, d'épée, Monsieur ; sachez que jusqu'ici nous n'avons été poltronnes que par éducation.

MADAME SORBIN

Mort de ma vie[2] ! qu'on nous donne des armes, nous serons plus méchantes que vous ; je veux que dans un mois, nous

1. Juge.
2. Juron féminin, traditionnellement réservé aux suivantes de comédie.

maniions le pistolet comme un éventail : je tirai ces jours passés sur un perroquet, moi qui vous parle.

ARTHENICE

Il n'y a que de l'habitude à tout.

MADAME SORBIN

De même qu'au Palais à tenir l'audience, à être Présidente, Conseillère, Intendante, Capitaine ou Avocate.

UN HOMME

Des femmes avocates ?

MADAME SORBIN

Tenez donc, c'est que nous n'avons pas la langue assez bien pendue, n'est-ce pas ?

ARTHENICE

Je pense qu'on ne nous disputera pas le don de la parole.

HERMOCRATE

Vous n'y songez pas, la gravité de la magistrature et la décence du barreau ne s'accorderaient jamais avec un bonnet carré sur une cornette.

ARTHENICE

Et qu'est-ce que c'est qu'un bonnet carré, Messieurs ? Qu'a-t-il de plus important qu'une autre coiffure ? D'ailleurs, il n'est pas de notre bail[1] non plus que votre Code ; jusqu'ici c'est votre justice et non pas la nôtre ; justice qui va comme il plaît à nos beaux yeux, quand ils veulent s'en donner la peine, et si nous avons part à l'institution des lois, nous verrons ce que nous ferons de cette justice-là, aussi bien que du bonnet carré, qui pourrait bien devenir octogone si on nous fâche ; la veuve ni l'orphelin n'y perdront rien.

UN HOMME

Et ce ne sera pas la seule coiffure que nous tiendrons de vous.

MADAME SORBIN

Ah ! la belle pointe d'esprit ; mais finalement, il n'y a rien à rabattre[2], sinon lisez notre édit, votre congé est au bas de la page.

HERMOCRATE

Seigneur Timagène, donnez vos ordres, et délivrez-nous de ces criailleries.

TIMAGÈNE

Madame...

---

1. Image juridique : « Puisque ni le bonnet carré, ni le Code n'ont été autorisés par "notre" signature (comme celle d'un contrat de bail), "nous" ne le reconnaissons pas ».
2. Discuter.

ARTHENICE

Monsieur, je n'ai plus qu'un mot à dire, profitez-en ; il n'y a point de nation qui ne se plaigne des défauts de son gouvernement ; d'où viennent-ils, ces défauts ? C'est que notre esprit manque à la terre dans l'institution de ses lois, c'est que vous ne faites rien de la moitié de l'esprit humain que nous avons, et que vous n'employez jamais que la vôtre, qui est la plus faible.

MADAME SORBIN

Voilà ce que c'est, faute d'étoffe l'habit est trop court.

ARTHENICE

C'est que le mariage qui se fait entre les hommes et nous devrait aussi se faire entre leurs pensées et les nôtres ; c'était l'intention des dieux, elle n'est pas remplie, et voilà la source de l'imperfection des lois ; l'univers en est la victime et nous le servons en vous résistant. J'ai dit ; il serait inutile de me répondre, prenez votre parti, nous vous donnons encore une heure, après quoi la séparation est sans retour, si vous ne vous rendez pas ; suivez-moi, Madame Sorbin, sortons.

MADAME SORBIN, *en sortant.*

Notre part d'esprit salue la vôtre.

SCÈNE 14

MONSIEUR SORBIN *rentre quand elles sortent.*
Tous les acteurs précédents, PERSINET.

MONSIEUR SORBIN, *arrêtant Madame Sorbin.*

Ah ! je vous trouve donc, Madame Sorbin, je vous cherchais.

ARTHENICE

Finissez avec lui ; je vous reviens prendre dans le moment.

MONSIEUR SORBIN, *à Madame Sorbin.*

Vraiment, je suis très charmé de vous voir, et vos déportements[1] sont tout à fait divertissants.

MADAME SORBIN

Oui, vous font-ils plaisir, Monsieur Sorbin ? Tant mieux, je n'en suis encore qu'au préambule.

MONSIEUR SORBIN

Vous avez dit à ce garçon que vous ne prétendiez plus fréquenter les gens de son étoffe ; apprenez-nous un peu la raison que vous entendez par là.

MADAME SORBIN

Oui-da, j'entends tout ce qui vous ressemble, Monsieur Sorbin.

---

1. Manières de se conduire (péjoratif).

MONSIEUR SORBIN

Comment dites-vous cela, Madame la cornette ?

MADAME SORBIN

Comme je le pense et comme cela tiendra, Monsieur le chapeau.

TIMAGÈNE

Doucement, Madame Sorbin ; sied-il bien à une femme aussi sensée que vous l'êtes de perdre jusque-là les égards qu'elle doit à son mari ?

MADAME SORBIN

À l'autre, avec son jargon d'homme ! C'est justement parce que je suis sensée que cela se passe ainsi. Vous dites que je lui dois, mais il me doit de même ; quand il me payera, je le payerai, c'est de quoi je venais l'accuser exprès.

PERSINET

Eh bien, payez, Monsieur Sorbin, payez, payons tous.

MONSIEUR SORBIN

Cette effrontée !

HERMOCRATE

Vous voyez bien que cette entreprise ne saurait se soutenir.

MADAME SORBIN

Le courage nous manquera peut-être ? Oh ! que nenni, nos mesures sont prises, tout est résolu, nos paquets sont faits.

TIMAGÈNE

Mais où irez-vous ?

MADAME SORBIN

Toujours tout droit.

TIMAGÈNE

De quoi vivrez-vous ?

MADAME SORBIN

De fruits, d'herbes, de racines, de coquillages, de rien ; s'il le faut, nous pêcherons, nous chasserons, nous redeviendrons sauvages, et notre vie finira avec honneur et gloire, et non pas dans l'humilité ridicule où l'on veut tenir des personnes de notre excellence.

PERSINET

Et qui font le sujet de mon admiration.

HERMOCRATE

Cela va jusqu'à la fureur. *(À Monsieur Sorbin.)* Répondez-lui donc.

MONSIEUR SORBIN

Que voulez-vous ? C'est une rage que cela, mais revenons au bon sens : savez-vous, Madame Sorbin, de quel bois je me chauffe ?

MADAME SORBIN

Eh là ! le pauvre homme avec son bois, c'est bien lui à parler de cela ; quel radotage !

MONSIEUR SORBIN

Du radotage ! à qui parlez-vous, s'il vous plaît ? Ne suis-je pas l'élu du peuple ? Ne suis-je pas votre mari, votre maître, et le chef de la famille ?

MADAME SORBIN

Vous êtes, vous êtes… Est-ce que vous croyez me faire trembler avec le catalogue de vos qualités que je sais mieux que vous ? Je vous conseille de crier gare ; tenez, ne dirait-on pas qu'il est juché sur l'arc-en-ciel ? Vous êtes l'élu des hommes, et moi l'élue des femmes ; vous êtes mon mari, je suis votre femme ; vous êtes le maître, et moi la maîtresse ; à l'égard du chef de famille, allons bellement, il y a deux chefs ici, vous êtes l'un, et moi l'autre, partant[1] quitte à quitte[2].

---

1. Donc.
2. Nous sommes quittes.

PERSINET

Elle parle d'or, en vérité.

MONSIEUR SORBIN

Cependant, le respect d'une femme...

MADAME SORBIN

Cependant le respect est un sot ; finissons, Monsieur Sorbin, qui êtes élu, mari, maître et chef de famille ; tout cela est bel et bon ; mais écoutez-moi pour la dernière fois, cela vaut mieux : nous disons que le monde est une ferme, les dieux là-haut en sont les seigneurs, et vous autres hommes, depuis que la vie dure, en avez toujours été les fermiers tout seuls, et cela n'est pas juste, rendez-nous notre part de la ferme ; gouvernez, gouvernons ; obéissez, obéissons ; partageons le profit et la perte ; soyons maîtres et valets en commun ; faites ceci, ma femme ; faites ceci, mon homme ; voilà comme il faut dire, voilà le moule où il faut jeter les lois, nous le voulons, nous le prétendons, nous y sommes butées[1] ; ne le voulez-vous pas ? Je vous annonce, et vous signifie en ce cas, que votre femme, qui vous aime, que vous devez aimer, qui est votre compagne, votre bonne amie et non pas votre petite servante, à moins que vous ne soyez son petit serviteur, je vous signifie que vous ne l'avez plus, qu'elle vous quitte, qu'elle rompt ménage et vous remet la

---

1. Entêtées. En français moderne : « Nous persistons ».

clef du logis ; j'ai parlé pour moi ; ma fille, que je vois là-bas et que je vais appeler, va parler pour elle. Allons, Lina, approchez, j'ai fait mon office, faites le vôtre, dites votre avis sur les affaires du temps.

SCÈNE 15

Les hommes et les femmes susdits, PERSINET, LINA.

LINA

Ma chère mère, mon avis...

TIMAGÈNE

La pauvre enfant tremble de ce que vous lui faites faire.

MADAME SORBIN

Vous en dites la raison, c'est que ce n'est qu'une enfant : courage, ma fille, prononcez bien et parlez haut.

LINA

Ma chère mère, mon avis, c'est, comme vous l'avez dit, que nous soyons dames et maîtresses par égale portion avec ces messieurs ; que nous travaillions comme eux à la fabrique des lois, et puis qu'on tire, comme on dit, à la courte paille pour savoir qui de nous sera roi ou reine ; sinon, que chacun s'en aille de son côté, nous à droite, eux à gauche, du mieux qu'on pourra. Est-ce là tout, ma mère ?

MADAME SORBIN

Vous oubliez l'article de l'amant ?

LINA

C'est que c'est le plus difficile à retenir ; votre avis est encore que l'amour n'est plus qu'un sot.

MADAME SORBIN

Ce n'est pas mon avis qu'on vous demande, c'est le vôtre.

LINA

Hélas ! le mien serait d'emmener mon amant et son amour avec nous.

PERSINET

Voyez la bonté de cœur, le beau naturel pour l'amour.

LINA

Oui, mais on m'a commandé de vous déclarer un adieu dont on ne verra ni le bout ni la fin.

PERSINET

Miséricorde !

MONSIEUR SORBIN

Que le ciel nous assiste ; en bonne foi, est-ce là un régime de vie, notre femme ?

MADAME SORBIN

Allons, Lina, faites la dernière révérence à Monsieur Sorbin, que nous ne connaissons plus, et retirons-nous sans retourner la tête.

Elles s'en vont.

SCÈNE 16

Tous les acteurs précédents.

PERSINET

Voilà une départie[1] qui me procure la mort, je n'irai jamais jusqu'au souper.

HERMOCRATE

Je crois que vous avez envie de pleurer, Monsieur Sorbin ?

MONSIEUR SORBIN

Je suis plus avancé que cela, seigneur Hermocrate, je contente mon envie.

PERSINET

Si vous voulez voir de belles larmes et d'une belle grosseur, il n'y a qu'à regarder les miennes.

MONSIEUR SORBIN

J'aime ces extravagantes-là plus que je ne pensais ; il faudrait battre, et ce n'est pas ma manière de coutume.

TIMAGÈNE

J'excuse votre attendrissement.

---

1. Un départ (archaïsme).

PERSINET

Qui est-ce qui n'aime pas le beau sexe ?

HERMOCRATE

Laissez-nous, petit homme.

PERSINET

C'est vous qui êtes le plus mutin[1] de la bande, seigneur Hermocrate ; car voilà Monsieur Sorbin qui est le meilleur acabit[2] d'homme ; voilà moi qui m'afflige à faire plaisir ; voilà le seigneur Timagène qui le trouve bon ; personne n'est tigre, il n'y a que vous ici qui portiez des griffes, et sans vous, nous partagerions la ferme.

HERMOCRATE

Attendez, Messieurs, on en viendra à un accommodement, si vous le souhaitez, puisque les partis violents vous déplaisent ; mais il me vient une idée, voulez-vous vous en fier à moi ?

TIMAGÈNE

Soit, agissez, nous vous donnons nos pouvoirs.

MONSIEUR SORBIN

Et même ma charge avec, si on me le permet.

---

1. Entêté et insoumis.
2. Qualité (bonne ou mauvaise).

HERMOCRATE

Courez, Persinet, rappelez-les, hâtez-vous, elles ne sont pas loin.

PERSINET

Oh ! pardi, j'irai comme le vent, je saute comme un cabri.

HERMOCRATE

Ne manquez pas aussi de m'apporter ici tout à l'heure une petite table et de quoi écrire.

PERSINET

Tout subitement.

TIMAGÈNE

Voulez-vous que nous nous retirions ?

HERMOCRATE

Oui, mais comme nous avons la guerre avec les sauvages de cette île, revenez tous deux dans quelques moments nous dire qu'on les voit descendre en grand nombre de leurs montagnes et qu'ils viennent nous attaquer, rien que cela. Vous pouvez aussi amener avec vous quelques hommes qui porteront des armes, que vous leur présenterez pour le combat.

Persinet revient avec une table, où il y a de l'encre, du papier et une plume.

PERSINET, *posant la table.*

Ces belles personnes me suivent, et voilà pour vos écritures, Monsieur le notaire ; tâchez de nous griffonner le papier sur ce papier.

TIMAGÈNE

Sortons.

SCÈNE 17

HERMOCRATE, ARTHENICE, MADAME SORBIN.

HERMOCRATE, *à Arthenice.*

Vous l'emportez, Madame, vous triomphez d'une résistance qui nous priverait du bonheur de vivre avec vous, et qui n'aurait pas duré longtemps si toutes les femmes de la colonie ressemblaient à la noble Arthenice ; sa raison, sa politesse, ses grâces et sa naissance nous auraient déterminés bien vite ; mais à vous parler franchement, le caractère de Madame Sorbin, qui va partager avec vous le pouvoir de faire les lois, nous a d'abord arrêtés, non qu'on ne la croie femme de mérite à sa façon, mais la petitesse de sa condition, qui ne va pas ordinairement sans rusticité[1], disent-ils...

MADAME SORBIN

Tredame ! ce petit personnage avec sa petite condition...

HERMOCRATE

Ce n'est pas moi qui parle, je vous dis ce qu'on a pensé ; on ajoute même qu'Arthenice, polie[2] comme elle est, doit avoir bien de la peine à s'accommoder de vous.

ARTHENICE, *à part, à Hermocrate.*

Je ne vous conseille pas de la fâcher.

1. Grossièreté, par opposition à « raffinement ».
2. Raffinée.

HERMOCRATE

Quant à moi, qui ne vous accuse de rien, je m'en tiens à vous dire de la part de ces messieurs que vous aurez part à tous les emplois, et que j'ai ordre d'en dresser l'acte en votre présence ; mais, voyez avant que je commence, si vous avez encore quelque chose de particulier à demander.

ARTHENICE

Je n'insisterai plus que sur un article.

MADAME SORBIN

Et moi de même ; il y en a un qui me déplaît, et que je retranche, c'est la gentilhommerie, je la casse pour ôter les petites conditions ; plus de cette baliverne-là.

ARTHENICE

Comment donc, Madame Sorbin, vous supprimez les nobles ?

HERMOCRATE

J'aime assez cette suppression.

ARTHENICE

Vous, Hermocrate ?

HERMOCRATE

Pardon, Madame, j'ai deux petites raisons pour cela, je suis bourgeois et philosophe.

MADAME SORBIN

Vos deux raisons auront contentement ; je commande, en vertu de ma pleine puissance, que les nommées Arthenice et Sorbin soient tout un, et qu'il soit aussi beau de s'appeler Hermocrate ou Lanturlu, que Timagène ; qu'est-ce que c'est que des noms qui font des gloires ?

HERMOCRATE

En vérité, elle raisonne comme Socrate ; rendez-vous, Madame, je vais écrire.

ARTHENICE

Je n'y consentirai jamais ; je suis née avec un avantage que je garderai, s'il vous plaît, Madame l'artisane.

MADAME SORBIN

Eh ! allons donc, camarade, vous avez trop d'esprit pour être mijaurée[1].

ARTHENICE

Allez vous justifier de la rusticité dont on vous accuse !

---

1. Prétentieuse.

MADAME SORBIN

Taisez-vous donc, il m'est avis que je vois un enfant qui pleure après son hochet.

HERMOCRATE

Doucement, Mesdames, laissons cet article-ci en litige, nous y reviendrons.

MADAME SORBIN

Dites le vôtre, Madame l'élue, la noble.

ARTHENICE

Il est un peu plus sensé que le vôtre, la Sorbin ; il regarde l'amour et le mariage ; toute infidélité déshonore une femme ; je veux que l'homme soit traité de même.

MADAME SORBIN

Non, cela ne vaut rien, et je l'empêche.

ARTHENICE

Ce que je dis ne vaut rien ?

MADAME SORBIN

Rien du tout, moins que rien.

HERMOCRATE

Je ne serais pas de votre sentiment là-dessus, Madame Sorbin ; je trouve la chose équitable, tout homme que je suis.

MADAME SORBIN

Je ne veux pas, moi ; l'homme n'est pas de notre force, je compatis à sa faiblesse, le monde lui a mis la bride sur le cou en fait de fidélité et je la lui laisse, il ne saurait aller autrement : pour ce qui est de nous autres femmes, de confusion[1] nous n'en avons pas même assez, j'en ordonne encore une dose ; plus il y en aura, plus nous serons honorables, plus on connaîtra la grandeur de notre vertu.

ARTHENICE

Cette extravagante !

MADAME SORBIN

Dame, je parle en femme de petit état. Voyez-vous, nous autres petites femmes, nous ne changeons ni d'amant ni de mari, au lieu que des dames il n'en est pas de même, elles se moquent de l'ordre et font comme les hommes ; mais mon règlement les rangera.

HERMOCRATE

Que lui répondez-vous, Madame, et que faut-il que j'écrive ?

---

1. Pudeur.

ARTHENICE

Eh ! le moyen de rien statuer avec cette harengère[1] ?

1. Femme grossière, comme une vendeuse de poissons (« poissarde »).

SCÈNE 18

Les acteurs précédents, TIMAGÈNE, MONSIEUR SORBIN, *quelques hommes qui tiennent des armes.*

TIMAGÈNE, *à Arthenice.*

Madame, on vient d'apercevoir une foule innombrable de sauvages qui descendent dans la plaine pour nous attaquer ; nous avons déjà assemblé les hommes ; hâtez-vous de votre côté d'assembler les femmes, et commandez-nous aujourd'hui avec Madame Sorbin, pour entrer en exercice des emplois militaires ; voilà des armes que nous vous apportons.

MADAME SORBIN

Moi, je vous fais le colonel de l'affaire. Les hommes seront encore capitaines jusqu'à ce que nous sachions le métier.

MONSIEUR SORBIN

Mais venez du moins batailler.

ARTHENICE

La brutalité de cette femme-là me dégoûte de tout, et je renonce à un projet impraticable avec elle.

MADAME SORBIN

Sa sotte gloire me raccommode avec vous autres. Viens, mon mari, je te pardonne ; va te battre, je vais à notre ménage.

TIMAGÈNE

Je me réjouis de voir l'affaire terminée. Ne vous inquiétez point, Mesdames ; allez vous mettre à l'abri de la guerre, on aura soin de vos droits dans les usages qu'on va établir.

Marivaux
L'Île des esclaves

Comédie en un acte et en prose
représentée pour la première fois
le 5 mars 1725
par les Comédiens-Italiens

ACTEURS

IPHICRATE.

ARLEQUIN.

EUPHROSINE.

CLÉANTHIS.

TRIVELIN.

Des habitants de l'île.

La scène est dans l'île des esclaves. Le théâtre représente une mer et des rochers d'un côté, et de l'autre quelques arbres et des maisons.

SCÈNE 1

IPHICRATE *s'avance tristement sur le théâtre avec* ARLEQUIN.

IPHICRATE, *après avoir soupiré.*

Arlequin !

ARLEQUIN, *avec une bouteille de vin qu'il a à sa ceinture.*

Mon patron !

IPHICRATE

Que deviendrons-nous dans cette île ?

ARLEQUIN

Nous deviendrons maigres, étiques[1], et puis morts de faim ; voilà mon sentiment et notre histoire.

IPHICRATE

Nous sommes seuls échappés du naufrage ; tous nos amis ont péri, et j'envie maintenant leur sort.

---

1. Très maigres, décharnés.

ARLEQUIN

Hélas ! ils sont noyés dans la mer, et nous avons la même commodité[1].

IPHICRATE

Dis-moi ; quand notre vaisseau s'est brisé contre le rocher, quelques-uns des nôtres ont eu le temps de se jeter dans la chaloupe ; il est vrai que les vagues l'ont enveloppée : je ne sais ce qu'elle est devenue ; mais peut-être auront-ils eu le bonheur d'aborder en quelque endroit de l'île et je suis d'avis que nous les cherchions.

ARLEQUIN

Cherchons, il n'y a point de mal à cela ; mais reposons-nous auparavant pour boire un petit coup d'eau-de-vie. J'ai sauvé ma pauvre bouteille, la voilà ; j'en boirai les deux tiers, comme de raison, et puis je vous donnerai le reste.

IPHICRATE

Eh ! ne perdons point de temps ; suis-moi : ne négligeons rien pour nous tirer d'ici. Si je ne me sauve, je suis perdu ; je ne reverrai jamais Athènes, car nous sommes dans l'île des Esclaves.

---

1. Occasion, opportunité : si les naufragés envient le sort des noyés, ils ont la possibilité de les rejoindre.

ARLEQUIN

Oh ! oh ! qu'est-ce que c'est que cette race-là ?

IPHICRATE

Ce sont des esclaves de la Grèce révoltés contre leurs maîtres, et qui depuis cent ans sont venus s'établir dans une île, et je crois que c'est ici : tiens, voici sans doute quelques-unes de leurs cases ; et leur coutume, mon cher Arlequin, est de tuer tous les maîtres qu'ils rencontrent, ou de les jeter dans l'esclavage.

ARLEQUIN

Eh ! chaque pays a sa coutume ; ils tuent les maîtres, à la bonne heure ; je l'ai entendu dire aussi ; mais on dit qu'ils ne font rien aux esclaves comme moi.

IPHICRATE

Cela est vrai.

ARLEQUIN

Eh ! encore vit-on.

IPHICRATE

Mais je suis en danger de perdre la liberté et peut-être la vie : Arlequin, cela ne suffit-il pas pour me plaindre ?

ARLEQUIN, *prenant sa bouteille pour boire.*

Ah ! je vous plains de tout mon cœur, cela est juste.

IPHICRATE

Suis-moi donc.

ARLEQUIN *siffle.*

Hu ! hu ! hu !

IPHICRATE.

Comment donc ! que veux-tu dire ?

ARLEQUIN, *distrait, chante.*

Tala ta lara.

IPHICRATE

Parle donc ; as-tu perdu l'esprit ? à quoi penses-tu ?

ARLEQUIN, *riant.*

Ah ! ah ! ah ! Monsieur Iphicrate, la drôle d'aventure ! je vous plains, par ma foi ; mais je ne saurais m'empêcher d'en rire.

IPHICRATE, *à part les premiers mots.*

Le coquin abuse de ma situation : j'ai mal fait de lui dire où nous sommes. Arlequin, ta gaieté ne vient pas à propos ; marchons de ce côté.

ARLEQUIN

J'ai les jambes si engourdies !...

IPHICRATE

Avançons, je t'en prie.

ARLEQUIN

Je t'en prie, je t'en prie; comme vous êtes civil[1] et poli; c'est l'air du pays qui fait cela.

IPHICRATE

Allons, hâtons-nous, faisons seulement une demi-lieue sur la côte pour chercher notre chaloupe, que nous trouverons peut-être avec une partie de nos gens; et, en ce cas-là, nous nous rembarquerons avec eux.

ARLEQUIN, *en badinant.*

Badin[2] ! comme vous tournez cela ! *(Il chante.)*

L'embarquement est divin
Quand on vogue, vogue, vogue,
L'embarquement est divin,
Quand on vogue avec Catin[3].

IPHICRATE, *retenant sa colère.*

Mais je ne te comprends point, mon cher Arlequin.

---

1. Courtois.
2. Plaisantin.
3. Diminutif déformé de *Catherine*, utilisé comme synonyme très familier de *prostituée*.

ARLEQUIN

Mon cher patron, vos compliments me charment ; vous avez coutume de m'en faire à coups de gourdin qui ne valent pas ceux-là ; et le gourdin est dans la chaloupe.

IPHICRATE.

Eh ! ne sais-tu pas que je t'aime ?

ARLEQUIN

Oui ; mais les marques de votre amitié tombent toujours sur mes épaules, et cela est mal placé. Ainsi, tenez, pour ce qui est de nos gens, que le ciel les bénisse ! s'ils sont morts, en voilà pour longtemps ; s'ils sont en vie, cela se passera, et je m'en goberge[1].

IPHICRATE, *un peu ému.*

Mais j'ai besoin d'eux, moi.

ARLEQUIN, *indifféremment.*

Oh ! cela se peut bien, chacun a ses affaires : que je ne vous dérange pas !

IPHICRATE

Esclave insolent !

---

1. Réjouis.

ARLEQUIN, *riant.*

Ah ! ah ! vous parlez la langue d'Athènes ; mauvais jargon[1] que je n'entends plus.

IPHICRATE

Méconnais-tu[2] ton maître, et n'es-tu plus mon esclave ?

ARLEQUIN, *se reculant d'un air sérieux.*

Je l'ai été, je le confesse à ta honte ; mais va, je te le pardonne ; les hommes ne valent rien. Dans le pays d'Athènes, j'étais ton esclave ; tu me traitais comme un pauvre animal, et tu disais que cela était juste, parce que tu étais le plus fort. Eh bien ! Iphicrate, tu vas trouver ici plus fort que toi ; on va te faire esclave à ton tour ; on te dira aussi que cela est juste, et nous verrons ce que tu penseras de cette justice-là ; tu m'en diras ton sentiment, je t'attends là. Quand tu auras souffert, tu seras plus raisonnable ; tu sauras mieux ce qu'il est permis de faire souffrir aux autres. Tout en irait mieux dans le monde, si ceux qui te ressemblent recevaient la même leçon que toi. Adieu, mon ami ; je vais trouver mes camarades et tes maîtres.

Il s'éloigne.

IPHICRATE, *au désespoir, courant après lui l'épée à la main.*

Juste ciel ! peut-on être plus malheureux et plus outragé que je le suis ? Misérable ! tu ne mérites pas de vivre.

---

1. Langage déformé (ici, le grec).
2. Ne reconnais-tu pas.

ARLEQUIN

Doucement ; tes forces sont bien diminuées, car je ne t'obéis plus, prends-y garde.

SCÈNE 2

TRIVELIN, *avec cinq ou six insulaires, arrive conduisant une dame et la suivante, et ils accourent à* IPHICRATE *qu'ils voient l'épée à la main.*

TRIVELIN, *faisant saisir et désarmer Iphicrate par ses gens.*
Arrêtez, que voulez-vous faire ?

IPHICRATE
Punir l'insolence de mon esclave.

TRIVELIN
Votre esclave ! vous vous trompez, et l'on vous apprendra à corriger vos termes. *(Il prend l'épée d'Iphicrate et la donne à Arlequin.)* Prenez cette épée, mon camarade ; elle est à vous.

ARLEQUIN
Que le ciel vous tienne gaillard[1], brave camarade que vous êtes !

TRIVELIN
Comment vous appelez-vous ?

ARLEQUIN
Est-ce mon nom que vous demandez ?

---

1. Joyeux.

TRIVELIN

Oui vraiment.

ARLEQUIN

Je n'en ai point, mon camarade.

TRIVELIN

Quoi donc, vous n'en avez pas ?

ARLEQUIN

Non, mon camarade ; je n'ai que des sobriquets[1] qu'il m'a donnés ; il m'appelle quelquefois Arlequin, quelquefois Hé.

TRIVELIN

Hé ! le terme est sans façon ; je reconnais ces Messieurs à de pareilles licences[2]. Et lui, comment s'appelle-t-il ?

ARLEQUIN

Oh, diantre ! il s'appelle par un nom, lui ; c'est le seigneur Iphicrate.

TRIVELIN

Eh bien ! changez de nom à présent ; soyez le seigneur Iphicrate à votre tour ; et vous, Iphicrate, appelez-vous Arlequin, ou bien Hé.

---

1. Surnoms familiers.
2. Libertés excessives.

ARLEQUIN, *sautant de joie, à son maître.*

Oh ! oh ! que nous allons rire, seigneur Hé !

TRIVELIN, *à Arlequin.*

Souvenez-vous en prenant son nom, mon cher ami, qu'on vous le donne bien moins pour réjouir votre vanité, que pour le corriger de son orgueil.

ARLEQUIN

Oui, oui, corrigeons, corrigeons !

IPHICRATE, *regardant Arlequin.*

Maraud[1] !

ARLEQUIN

Parlez donc, mon bon ami ; voilà encore une licence qui lui prend ; cela est-il du jeu ?

TRIVELIN, *à Arlequin.*

Dans ce moment-ci, il peut vous dire tout ce qu'il voudra. *(À Iphicrate.)* Arlequin, votre aventure vous afflige, et vous êtes outré contre Iphicrate et contre nous. Ne vous gênez point, soulagez-vous par l'emportement le plus vif ; traitez-le de misérable, et nous aussi ; tout vous est permis à présent ; mais ce moment-ci passé, n'oubliez pas que vous êtes Arlequin, que

1. Vaurien.

voici Iphicrate, et que vous êtes auprès de lui ce qu'il était auprès de vous ; ce sont là nos lois, et ma charge dans la république est de les faire observer en ce canton-ci.

ARLEQUIN

Ah ! la belle charge !

IPHICRATE

Moi, l'esclave de ce misérable !

TRIVELIN

Il a bien été le vôtre.

ARLEQUIN

Hélas ! il n'a qu'à être bien obéissant, j'aurai mille bontés pour lui.

IPHICRATE

Vous me donnez la liberté de lui dire ce qu'il me plaira ; ce n'est pas assez : qu'on m'accorde encore un bâton.

ARLEQUIN

Camarade, il demande à parler à mon dos, je le mets sous la protection de la république, au moins.

TRIVELIN

Ne craignez rien.

CLÉANTHIS, *à Trivelin.*

Monsieur, je suis esclave aussi, moi, et du même vaisseau ; ne m'oubliez pas, s'il vous plaît.

TRIVELIN

Non, ma belle enfant ; j'ai bien connu[1] votre condition à votre habit, et j'allais vous parler de ce qui vous regarde, quand je l'ai vu l'épée à la main. Laissez-moi achever ce que j'avais à dire. Arlequin !

ARLEQUIN, *croyant qu'on l'appelle.*

Eh !... À propos, je m'appelle Iphicrate.

TRIVELIN, *continuant.*

Tâchez de vous calmer ; vous savez qui nous sommes, sans doute ?

ARLEQUIN

Oh ! morbleu ! d'aimables gens.

CLÉANTHIS

Et raisonnables.

TRIVELIN

Ne m'interrompez point, mes enfants. Je pense donc que

---

1. Reconnu.

vous savez qui nous sommes. Quand nos pères, irrités de la cruauté de leurs maîtres, quittèrent la Grèce et vinrent s'établir ici dans le ressentiment[1] des outrages qu'ils avaient reçus de leurs patrons, la première loi qu'ils y firent fut d'ôter la vie à tous les maîtres que le hasard ou le naufrage conduirait dans leur île, et conséquemment de rendre la liberté à tous les esclaves ; la vengeance avait dicté cette loi ; vingt ans après la raison l'abolit, et en dicta une plus douce. Nous ne nous vengeons plus de vous, nous vous corrigeons ; ce n'est plus votre vie que nous poursuivons, c'est la barbarie de vos cœurs que nous voulons détruire ; nous vous jetons dans l'esclavage pour vous rendre sensibles aux maux qu'on y éprouve : nous vous humilions, afin que, nous trouvant superbes[2], vous vous reprochiez de l'avoir été. Votre esclavage, ou plutôt votre cours d'humanité, dure trois ans, au bout desquels on vous renvoie si vos maîtres sont contents de vos progrès ; et, si vous ne devenez pas meilleurs, nous vous retenons par charité pour les nouveaux malheureux que vous iriez faire encore ailleurs, et, par bonté pour vous, nous vous marions avec une de nos citoyennes. Ce sont là nos lois à cet égard ; mettez à profit leur rigueur salutaire, remerciez le sort qui vous conduit ici ; il vous remet en nos mains durs, injustes et superbes ; vous voilà en mauvais état, nous entreprenons de vous guérir ; vous êtes moins nos esclaves que nos malades, et nous ne prenons que trois ans pour vous rendre sains, c'est-à-dire humains, raisonnables et généreux pour toute votre vie.

---

1. Souvenir répété.
2. Orgueilleux à l'excès.

ARLEQUIN

Et le tout *gratis*, sans purgation ni saignée. Peut-on[1] de la santé à meilleur compte ?

TRIVELIN

Au reste, ne cherchez point à vous sauver de ces lieux, vous le tenteriez sans succès, et vous feriez votre fortune plus mauvaise : commencez votre nouveau régime de vie par la patience.

ARLEQUIN

Dès que c'est pour son bien, qu'y a-t-il à dire ?

TRIVELIN, *aux esclaves.*

Quant à vous, mes enfants, qui devenez libres et citoyens, Iphicrate habitera cette case avec le nouvel Arlequin, et cette belle fille demeurera dans l'autre ; vous aurez soin de changer d'habit ensemble, c'est l'ordre. *(À Arlequin.)* Passez maintenant dans une maison qui est à côté, où l'on vous donnera à manger si vous en avez besoin. Je vous apprends, au reste, que vous avez huit jours à vous réjouir du changement de votre état ; après quoi l'on vous donnera, comme à tout le monde, une occupation convenable. Allez, je vous attends ici. *(Aux insulaires.)* Qu'on les conduise. *(Aux femmes.)* Et vous autres, restez.

Arlequin, en s'en allant, fait de grandes révérences à Cléanthis.

---

1. Peut-on avoir.

SCÈNE 3

TRIVELIN, CLÉANTHIS, *esclave*, EUPHROSINE, *sa maîtresse.*

TRIVELIN

Ah çà ! ma compatriote, – car je regarde désormais notre île comme votre patrie, – dites-moi aussi votre nom.

CLÉANTHIS, *saluant.*

Je m'appelle Cléanthis ; et elle, Euphrosine.

TRIVELIN

Cléanthis ? passe pour cela.

CLÉANTHIS

J'ai aussi des surnoms ; vous plaît-il de les savoir ?

TRIVELIN

Oui-da. Et quels sont-ils ?

CLÉANTHIS

J'en ai une liste : Sotte, Ridicule, Bête, Butorde[1], Imbécile, *et cœtera.*

EUPHROSINE, *en soupirant.*

Impertinente que vous êtes !

---

1. Féminin de *butor* : grossier personnage.

CLÉANTHIS

Tenez, tenez, en voilà encore un que j'oubliais.

TRIVELIN

Effectivement, elle vous prend sur le fait. Dans votre pays, Euphrosine, on a bientôt[1] dit des injures à ceux à qui l'on en peut dire impunément.

EUPHROSINE

Hélas ! que voulez-vous que je lui réponde, dans l'étrange aventure où je me trouve ?

CLÉANTHIS

Oh ! dame, il n'est plus si aisé de me répondre. Autrefois il n'y avait rien de si commode ; on n'avait affaire qu'à de pauvres gens : fallait-il tant de cérémonies ? « Faites cela, je le veux ; taisez-vous, sotte... » Voilà qui était fini. Mais à présent, il faut parler raison ; c'est un langage étranger pour Madame ; elle l'apprendra avec le temps ; il faut se donner patience : je ferai de mon mieux pour l'avancer[2].

TRIVELIN, *à Cléanthis.*

Modérez-vous, Euphrosine. *(À Euphrosine.)* Et vous, Cléanthis, ne vous abandonnez point à votre douleur. Je ne

---

1. Vite.
2. Faire progresser (Euphrosine dans le langage de la raison).

puis changer nos lois ni vous en affranchir : je vous ai montré combien elles étaient louables et salutaires pour vous.

CLÉANTHIS

Hum ! Elle me trompera bien si elle amende[1].

TRIVELIN

Mais comme vous êtes d'un sexe naturellement assez faible, et que par là vous avez dû céder plus facilement qu'un homme aux exemples de hauteur, de mépris et de dureté qu'on vous a donnés chez vous contre leurs pareils, tout ce que je puis faire pour vous, c'est de prier Euphrosine de peser avec bonté les torts que vous avez avec elle, afin de les peser avec justice.

CLÉANTHIS

Oh ! tenez, tout cela est trop savant pour moi, je n'y comprends rien ; j'irai le grand chemin[2], je pèserai comme elle pesait ; ce qui viendra, nous le prendrons.

TRIVELIN

Doucement, point de vengeance.

CLÉANTHIS

Mais, notre bon ami, au bout du compte, vous parlez de son

---

1. S'améliore.

2. Chemin connu, c'est-à-dire, dans le contexte, le simple bon sens et non les raisonnements trop subtils.

sexe ; elle a le défaut d'être faible, je lui en offre autant ; je n'ai pas la vertu d'être forte. S'il faut que j'excuse toutes ses mauvaises manières à mon égard, il faudra donc qu'elle excuse aussi la rancune que j'en ai contre elle ; car je suis femme autant qu'elle, moi. Voyons, qui est-ce qui décidera ? Ne suis-je pas la maîtresse une fois[1] ? Eh bien, qu'elle commence toujours par excuser ma rancune ; et puis, moi, je lui pardonnerai, quand je pourrai, ce qu'elle m'a fait : qu'elle attende !

EUPHROSINE, *à Trivelin.*

Quels discours ! Faut-il que vous m'exposiez à les entendre ?

CLÉANTHIS

Souffrez-les, Madame, c'est le fruit de vos œuvres.

TRIVELIN

Allons, Euphrosine, modérez-vous.

CLÉANTHIS

Que voulez-vous que je vous dise ? quand on a de la colère, il n'y a rien de tel pour la passer, que de la contenter un peu, voyez-vous ! Quand je l'aurai querellée à mon aise une douzaine de fois seulement, elle en sera quitte ; mais il me faut cela.

---

1. Enfin.

TRIVELIN, *à part, à Euphrosine.*

Il faut que ceci ait son cours ; mais consolez-vous, cela finira plus tôt que vous ne pensez. *(À Cléanthis.)* J'espère, Euphrosine, que vous perdrez votre ressentiment, et je vous y exhorte en ami. Venons maintenant à l'examen de son caractère : il est nécessaire que vous m'en donniez un portrait, qui se doit faire devant la personne qu'on peint, qu'elle se connaisse, qu'elle rougisse de ses ridicules, si elle en a, et qu'elle se corrige. Nous avons là de bonnes intentions, comme vous voyez. Allons, commençons.

CLÉANTHIS

Oh ! que cela est bien inventé ! Allons, me voilà prête ; interrogez-moi, je suis dans mon fort[1].

EUPHROSINE, *doucement.*

Je vous prie, Monsieur, que je me retire, et que je n'entende point ce qu'elle va dire.

TRIVELIN

Hélas ! ma chère dame, cela n'est fait que pour vous ; il faut que vous soyez présente.

CLÉANTHIS

Restez, restez ; un peu de honte est bientôt passé.

---

1. Dans un domaine où j'excelle.

TRIVELIN

Vaine, minaudière et coquette, voilà d'abord à peu près sur quoi je vais vous interroger au hasard. Cela la regarde-t-il ?

CLÉANTHIS

Vaine, minaudière et coquette, si cela la regarde ? Eh ! voilà ma chère maîtresse ; cela lui ressemble comme son visage.

EUPHROSINE

N'en voilà-t-il pas assez, Monsieur ?

TRIVELIN

Ah ! je vous félicite du petit embarras que cela vous donne ; vous sentez, c'est bon signe, et j'en augure bien pour l'avenir : mais ce ne sont encore là que les grands traits ; détaillons un peu cela. En quoi donc, par exemple, lui trouvez-vous les défauts dont nous parlons ?

CLÉANTHIS

En quoi ? partout, à toute heure, en tous lieux ; je vous ai dit de m'interroger ; mais par où commencer ? je n'en sais rien, et je m'y perds. Il y a tant de choses, j'en ai tant vu, tant remarqué de toutes les espèces, que cela se brouille. Madame se tait, Madame parle ; elle regarde, elle est triste, elle est gaie : silence, discours, regards, tristesse et joie, c'est tout un, il n'y a que la couleur de différente ; c'est vanité muette, contente ou fâchée ; c'est coquetterie babillarde, jalouse ou curieuse ; c'est Madame, toujours vaine ou coquette, l'un après l'autre, ou tous les deux à la fois : voilà ce que c'est, voilà par où je débute ; rien que cela.

EUPHROSINE

Je n'y saurais tenir.

TRIVELIN

Attendez donc, ce n'est qu'un début.

CLÉANTHIS

Madame se lève ; a-t-elle bien dormi, le sommeil l'a-t-il rendue belle, se sent-elle du vif, du sémillant[1] dans les yeux ? vite, sur les armes ; la journée sera glorieuse. « Qu'on m'habille ! » Madame verra du monde aujourd'hui ; elle ira aux spectacles, aux promenades, aux assemblées ; son visage peut se manifester, peut soutenir le grand jour, il fera plaisir à voir, il n'y a qu'à le promener hardiment, il est en état, il n'y a rien à craindre.

TRIVELIN, *à Euphrosine.*

Elle développe assez bien cela.

CLÉANTHIS

Madame, au contraire, a-t-elle mal reposé ? « Ah ! qu'on m'apporte un miroir ; comme me voilà faite ! que je suis mal bâtie[2] ! » Cependant on se mire, on éprouve son visage de

---

1. Gai ; surenchérit sur « vif ».
2. Laide.

toutes les façons, rien ne réussit ; des yeux battus, un teint fatigué ; voilà qui est fini, il faut envelopper ce visage-là, nous n'aurons que du négligé, Madame ne verra personne aujourd'hui, pas même le jour, si elle peut ; du moins fera-t-il sombre dans la chambre. Cependant, il vient compagnie, on entre : que va-t-on penser du visage de Madame ? on croira qu'elle enlaidit : donnera-t-elle ce plaisir-là à ses bonnes amies ? Non, il y a remède à tout : vous allez voir. « Comment vous portez-vous, Madame ? – Très mal, Madame ; j'ai perdu le sommeil ; il y a huit jours que je n'ai fermé l'œil ; je n'ose pas me montrer, je fais peur. » Et cela veut dire : Messieurs, figurez-vous que ce n'est point moi, au moins ; ne me regardez pas, remettez à me voir ; ne me jugez pas aujourd'hui ; attendez que j'aie dormi. J'entendais tout cela, car nous autres esclaves, nous sommes doués contre nos maîtres d'une pénétration !... Oh ! ce sont de pauvres gens pour nous.

TRIVELIN, *à Euphrosine.*

Courage, Madame ; profitez de cette peinture-là, car elle me paraît fidèle.

EUPHROSINE

Je ne sais où j'en suis.

CLÉANTHIS

Vous en êtes aux deux tiers ; et j'achèverai, pourvu que cela ne vous ennuie pas.

TRIVELIN

Achevez, achevez ; Madame soutiendra bien le reste.

CLÉANTHIS

Vous souvenez-vous d'un soir où vous étiez avec ce cavalier si bien fait ? j'étais dans la chambre ; vous vous entreteniez bas ; mais j'ai l'oreille fine : vous vouliez lui plaire sans faire semblant de rien ; vous parliez d'une femme qu'il voyait souvent. « Cette femme-là est aimable, disiez-vous ; elle a les yeux petits, mais très doux » ; et là-dessus vous ouvriez les vôtres, vous vous donniez des tons, des gestes de tête, de petites contorsions, des vivacités. Je riais. Vous réussites pourtant, le cavalier s'y prit ; il vous offrit son cœur. « À moi ? lui dîtes-vous. – Oui, Madame, à vous-même, à tout ce qu'il y a de plus aimable au monde. – Continuez, folâtre, continuez », dîtes-vous, en ôtant vos gants sous prétexte de m'en demander d'autres. Mais vous avez la main belle ; il la vit, il la prit, il la baisa ; cela anima sa déclaration ; et c'était là les gants que vous demandiez. Eh bien ! y suis-je ?

TRIVELIN, *à Euphrosine.*

En vérité, elle a raison.

CLÉANTHIS

Écoutez, écoutez, voici le plus plaisant. Un jour qu'elle pouvait m'entendre, et qu'elle croyait que je ne m'en doutais pas, je parlais d'elle, et je dis : « Oh ! pour cela il faut l'avouer, Madame est une des plus belles femmes du monde. » Que de bontés, pendant huit jours, ce petit mot-là ne me valut-il pas ! J'essayai en pareille occasion de dire que Madame était une femme très raisonnable : oh ! je n'eus rien, cela ne prit point ; et c'était bien fait, car je la flattais.

EUPHROSINE

Monsieur, je ne resterai point, ou l'on me fera rester par force ; je ne puis en souffrir davantage.

TRIVELIN

En voilà donc assez pour à présent.

CLÉANTHIS

J'allais parler des vapeurs de mignardise[1] auxquelles Madame est sujette à la moindre odeur. Elle ne sait pas qu'un jour je mis à son insu des fleurs dans la ruelle[2] de son lit pour voir ce qu'il en serait. J'attendais une vapeur, elle est encore à venir. Le lendemain, en compagnie, une rose parut ; crac ! la vapeur arrive.

TRIVELIN

Cela suffit, Euphrosine ; promenez-vous un moment à quelques pas de nous, parce que j'ai quelque chose à lui dire : elle ira vous rejoindre ensuite.

---

1. Délicatesse feinte ; connotation péjorative.
2. Espace entre le lit et le mur.

CLÉANTHIS, *s'en allant.*

Recommandez-lui d'être docile au moins. Adieu, notre bon ami, je vous ai diverti, j'en suis bien aise. Une autre fois je vous dirai comme quoi Madame s'abstient souvent de mettre de beaux habits, pour en mettre un négligé qui lui marque tendrement la taille. C'est encore une finesse que cet habit-là ; on dirait qu'une femme qui le met ne se soucie pas de paraître, mais à d'autres ! on s'y ramasse dans un corset appétissant, on y montre sa bonne façon naturelle ; on y dit aux gens : « Regardez mes grâces, elles sont à moi, celles-là » ; et d'un autre côté on veut leur dire aussi : « Voyez comme je m'habille, quelle simplicité ! il n'y a point de coquetterie dans mon fait. »

TRIVELIN

Mais je vous ai priée de nous laisser.

CLÉANTHIS

Je sors, et tantôt nous reprendrons le discours, qui sera fort divertissant ; car vous verrez aussi comme quoi Madame entre dans une loge au spectacle, avec quelle emphase, avec quel air imposant, quoique d'un air distrait et sans y penser ; car c'est la belle éducation qui donne cet orgueil-là. Vous verrez comme dans la loge on y jette un regard indifférent et dédaigneux sur des femmes qui sont à côté, et qu'on ne connaît pas. Bonjour, notre bon ami, je vais à notre auberge.

SCÈNE 4

TRIVELIN, EUPHROSINE.

TRIVELIN

Cette scène-ci vous a un peu fatiguée ; mais cela ne vous nuira pas.

EUPHROSINE

Vous êtes des barbares.

TRIVELIN

Nous sommes d'honnêtes gens qui vous instruisons ; voilà tout. Il vous reste encore à satisfaire à une formalité.

EUPHROSINE

Encore des formalités !

TRIVELIN

Celle-ci est moins que rien ; je dois faire rapport de tout ce que je viens d'entendre, et de tout ce que vous m'allez répondre. Convenez-vous de tous les sentiments coquets, de toutes les singeries d'amour-propre qu'elle vient de vous attribuer ?

EUPHROSINE

Moi, j'en conviendrais ! Quoi ! de pareilles faussetés sont-elles croyables !

TRIVELIN

Oh ! très croyables, prenez-y garde. Si vous en convenez, cela contribuera à rendre votre condition meilleure ; je ne vous en dis pas davantage... On espérera que, vous étant reconnue, vous abjurerez un jour toutes ces folies qui font qu'on n'aime que soi, et qui ont distrait votre bon cœur d'une infinité d'attentions plus louables. Si au contraire vous ne convenez pas de ce qu'elle a dit, on vous regardera comme incorrigible, et cela reculera votre délivrance. Voyez, consultez-vous.

EUPHROSINE

Ma délivrance ! Eh ! puis-je l'espérer ?

TRIVELIN

Oui, je vous la garantis aux conditions que je vous dis.

EUPHROSINE

Bientôt ?

TRIVELIN

Sans doute.

EUPHROSINE

Monsieur, faites donc comme si j'étais convenue de tout.

TRIVELIN

Quoi ! vous me conseillez de mentir !

EUPHROSINE

En vérité, voilà d'étranges conditions ! cela révolte !

TRIVELIN

Elles humilient un peu ; mais cela est fort bon. Déterminez-vous ; une liberté très prochaine est le prix de la vérité. Allons, ne ressemblez-vous pas au portrait qu'on a fait ?

EUPHROSINE

Mais...

TRIVELIN

Quoi ?

EUPHROSINE

Il y a du vrai, par-ci, par-là.

TRIVELIN

Par-ci, par-là, n'est point notre compte ; avouez-vous tous les faits ? En a-t-elle trop dit ? n'a-t-elle dit que ce qu'il faut ? Hâtez-vous ; j'ai autre chose à faire.

EUPHROSINE

Vous faut-il une réponse si exacte ?

TRIVELIN

Eh ! oui, Madame, et le tout pour votre bien.

EUPHROSINE

Eh bien...

TRIVELIN

Après ?

EUPHROSINE

Je suis jeune...

TRIVELIN

Je ne vous demande pas votre âge.

EUPHROSINE

On est d'un certain rang ; on aime à plaire.

TRIVELIN

Et c'est ce qui fait que le portrait vous ressemble.

EUPHROSINE

Je crois que oui.

TRIVELIN

Eh ! voilà ce qu'il nous fallait. Vous trouvez aussi le portrait un peu risible, n'est-ce pas ?

EUPHROSINE

Il faut bien l'avouer.

TRIVELIN

À merveille ! Je suis content, ma chère dame. Allez rejoindre Cléanthis : je lui rends déjà son véritable nom, pour vous donner encore des gages de ma parole. Ne vous impatientez point ; montrez un peu de docilité, et le moment espéré arrivera.

EUPHROSINE

Je m'en fie à vous.

SCÈNE 5

ARLEQUIN, IPHICRATE, *qui ont changé d'habits*, TRIVELIN.

ARLEQUIN

Tirlan, tirlan, tirlantaine ! tirlanton ! Gai, camarade ! le vin de la république est merveilleux. J'en ai bu bravement ma pinte car je suis si altéré depuis que je suis maître, que tantôt j'aurai encore soif pour pinte. Que le ciel conserve la vigne, le vigneron, la vendange et les caves de notre admirable république !

TRIVELIN

Bon ! réjouissez-vous, mon camarade. Êtes-vous content d'Arlequin ?

ARLEQUIN

Oui, c'est un bon enfant ; j'en ferai quelque chose. Il soupire parfois, et je lui ai défendu cela sous peine de désobéissance, et lui ordonne de la joie. *(Il prend son maître par la main et danse.)* Tala rara la la...

TRIVELIN

Vous me réjouissez moi-même.

ARLEQUIN

Oh ! quand je suis gai, je suis de bonne humeur.

TRIVELIN

Fort bien. Je suis charmé de vous voir satisfait d'Arlequin. Vous n'aviez pas beaucoup à vous plaindre de lui dans son pays apparemment ?

ARLEQUIN

Eh ! là-bas ? Je lui voulais souvent un mal de diable ; car il était quelquefois insupportable ; mais à cette heure que je suis heureux, tout est payé ; je lui ai donné quittance.

TRIVELIN

Je vous aime de ce caractère et vous me touchez. C'est-à-dire que vous jouirez modestement de votre bonne fortune, et que vous ne lui ferez point de peine ?

ARLEQUIN

De la peine ! Ah ! le pauvre homme ! Peut-être que je serai un petit brin insolent, à cause que je suis le maître : voilà tout.

TRIVELIN

À cause que je suis le maître ; vous avez raison.

ARLEQUIN

Oui ; car quand on est le maître, on y va tout rondement, sans façon, et si peu de façon mène quelquefois un honnête homme à des impertinences.

TRIVELIN

Oh ! n'importe : je vois bien que vous n'êtes point méchant.

ARLEQUIN

Hélas ! je ne suis que mutin[1].

TRIVELIN, *à Iphicrate.*

Ne vous épouvantez point de ce que je vais dire. *(À Arlequin.)* Instruisez-moi d'une chose. Comment se gouvernait-il là-bas ? avait-il quelque défaut d'humeur, de caractère ?

ARLEQUIN, *riant.*

Ah ! mon camarade, vous avez de la malice ; vous demandez la comédie.

TRIVELIN

Ce caractère-là est donc bien plaisant ?

ARLEQUIN

Ma foi, c'est une farce.

TRIVELIN

N'importe, nous en rirons.

---

1. Désobéissant.

ARLEQUIN, *à Iphicrate.*

Arlequin, me promets-tu d'en rire aussi ?

IPHICRATE, *bas.*

Veux-tu achever de me désespérer ? que vas-tu lui dire ?

ARLEQUIN

Laisse-moi faire ; quand je t'aurai offensé, je te demanderai pardon après.

TRIVELIN

Il ne s'agit que d'une bagatelle ; j'en ai demandé autant à la jeune fille que vous avez vue, sur le chapitre de sa maîtresse.

ARLEQUIN

Eh bien, tout ce qu'elle vous a dit, c'était des folies qui faisaient pitié, des misères ? gageons[1].

TRIVELIN

Cela est encore vrai.

ARLEQUIN

Eh bien, je vous en offre autant ; ce pauvre jeune garçon n'en fournira pas davantage ; extravagance et misère, voilà son

1. Parions.

paquet[1] ; n'est-ce pas là de belles guenilles pour les étaler ? Étourdi par nature, étourdi par singerie, parce que les femmes les aiment comme cela ; un dissipe-tout ; vilain[2] quand il faut être libéral[3], libéral quand il faut être vilain ; bon emprunteur, mauvais payeur ; honteux d'être sage, glorieux[4] d'être fou ; un petit brin moqueur des bonnes gens ; un petit brin hâbleur[5] : avec tout plein de maîtresses qu'il ne connaît pas ; voilà mon homme. Est-ce la peine d'en tirer le portrait ? *(À Iphicrate.)* Non, je n'en ferai rien, mon ami, ne crains rien.

TRIVELIN

Cette ébauche me suffit. *(À Iphicrate.)* Vous n'avez plus maintenant qu'à certifier pour véritable ce qu'il vient de dire.

IPHICRATE

Moi ?

TRIVELIN

Vous-même ; la dame de tantôt en a fait autant ; elle vous dira ce qui l'y a déterminée. Croyez-moi, il y va du plus grand bien que vous puissiez souhaiter.

---

1. Lot de défauts.
2. Avare.
3. Généreux à l'excès.
4. Prétentieux.
5. Vantard.

IPHICRATE

Du plus grand bien ? Si cela est, il y a là quelque chose qui pourrait assez me convenir d'une certaine façon.

ARLEQUIN

Prends tout ; c'est un habit fait sur ta taille.

TRIVELIN

Il me faut tout ou rien.

IPHICRATE

Voulez-vous que je m'avoue un ridicule ?

ARLEQUIN

Qu'importe, quand on l'a été ?

TRIVELIN

N'avez-vous que cela à me dire ?

IPHICRATE

Va donc pour la moitié, pour me tirer d'affaire.

TRIVELIN

Va du tout.

IPHICRATE

Soit. *(Arlequin rit de toute sa force.)*

TRIVELIN

Vous avez fort bien fait, vous n'y perdrez rien. Adieu, vous saurez bientôt de mes nouvelles.

SCÈNE 6

CLÉANTHIS, IPHICRATE, ARLEQUIN, EUPHROSINE.

CLÉANTHIS

Seigneur Iphicrate, peut-on vous demander de quoi vous riez ?

ARLEQUIN

Je ris de mon Arlequin qui a confessé qu'il était un ridicule.

CLÉANTHIS

Cela me surprend, car il a la mine d'un homme raisonnable. Si vous voulez voir une coquette de son propre aveu, regardez ma suivante.

ARLEQUIN, *la regardant.*

Malepeste[1] ! quand ce visage-là fait le fripon, c'est bien son métier. Mais parlons d'autres choses, ma belle demoiselle ; qu'est-ce que nous ferons à cette heure que nous sommes gaillards[2] ?

CLÉANTHIS

Eh ! mais, la belle conversation.

---

1. Juron familier ; combine l'interjection marquant l'étonnement *peste* et le préfixe *mal[e]* pour « mauvais, méchant ».
2. Joyeux.

ARLEQUIN

Je crains que cela ne vous fasse bâiller, j'en bâille déjà. Si je devenais amoureux de vous, cela amuserait davantage.

CLÉANTHIS

Eh bien, faites. Soupirez pour moi ; poursuivez mon cœur, prenez-le si vous le pouvez, je ne vous en empêche pas ; c'est à vous à faire vos diligences[1] ; me voilà, je vous attends ; mais traitons l'amour à la grande manière, puisque nous sommes devenus maîtres ; allons-y poliment[2], et comme le grand monde.

ARLEQUIN

Oui-da ; nous n'en irons que meilleur train[3].

CLÉANTHIS

Je suis d'avis d'une chose, que nous disions qu'on nous apporte des sièges pour prendre l'air assis, et pour écouter les discours galants[4] que vous m'allez tenir ; il faut bien jouir de notre état, en goûter le plaisir.

ARLEQUIN

Votre volonté vaut une ordonnance. *(À Iphicrate.)* Arlequin, vite des sièges pour moi, et des fauteuils pour Madame.

---

1. Faites vos activités avec empressement.
2. Avec raffinement.
3. Plus rapidement.
4. Distingués.

IPHICRATE

Peux-tu m'employer à cela ?

ARLEQUIN

La république le veut.

CLÉANTHIS

Tenez, tenez, promenons-nous plutôt de cette manière-là, et tout en conversant vous ferez adroitement tomber l'entretien sur le penchant que mes yeux vous ont inspiré pour moi. Car encore une fois nous sommes d'honnêtes gens à cette heure, il faut songer à cela ; il n'est plus question de familiarité domestique. Allons, procédons noblement, n'épargnez ni compliments ni révérences.

ARLEQUIN

Et vous, n'épargnez point les mines[1]. Courage ; quand ce ne serait que pour nous moquer de nos patrons. Garderons-nous nos gens[2] ?

CLÉANTHIS

Sans difficulté ; pouvons-nous être sans eux ? c'est notre suite ; qu'ils s'éloignent seulement.

---

1. Expressions du visage.
2. Domestiques.

ARLEQUIN, *à Iphicrate.*

Qu'on se retire à dix pas.

Iphicrate et Euphrosine s'éloignent en faisant des gestes d'étonnement et de douleur. Cléanthis regarde aller Iphicrate, et Arlequin, Euphrosine.

ARLEQUIN, *se promenant sur le théâtre avec Cléanthis.*

Remarquez-vous, Madame, la clarté du jour ?

CLÉANTHIS

Il fait le plus beau temps du monde ; on appelle cela un jour tendre.

ARLEQUIN

Un jour tendre ? Je ressemble donc au jour, Madame.

CLÉANTHIS

Comment ! vous lui ressemblez ?

ARLEQUIN

Eh palsambleu[1] ! le moyen de n'être pas tendre, quand on se trouve tête à tête avec vos grâces ? *(À ce mot il saute de joie.)* Oh ! oh ! oh ! oh !

1. Juron ; déformation de « par le sang de Dieu ».

CLÉANTHIS

Qu'avez-vous donc ? vous défigurez notre conversation.

ARLEQUIN

Oh ! ce n'est rien : c'est que je m'applaudis.

CLÉANTHIS

Rayez ces applaudissements, ils nous dérangent. *(Continuant.)* Je savais bien que mes grâces entreraient pour quelque chose ici. Monsieur, vous êtes galant ; vous vous promenez avec moi, vous me dites des douceurs ; mais finissons, en voilà assez, je vous dispense des compliments.

ARLEQUIN

Et moi, je vous remercie de vos dispenses.

CLÉANTHIS

Vous m'allez dire que vous m'aimez, je le vois bien ; dites, Monsieur, dites ; heureusement on n'en croira rien. Vous êtes aimable, mais coquet[1], et vous ne persuaderez pas.

ARLEQUIN, *l'arrêtant par le bras, et se mettant à genoux.*

Faut-il m'agenouiller, Madame, pour vous convaincre de mes flammes, et de la sincérité de mes feux ?

1. Amoureux peu sincère.

CLÉANTHIS

Mais ceci devient sérieux. Laissez-moi, je ne veux point d'affaires[1] ; levez-vous. Quelle vivacité ! Faut-il vous dire qu'on vous aime ? Ne peut-on en être quitte à moins ? Cela est étrange.

ARLEQUIN, *riant à genoux.*

Ah ! ah ! ah ! que cela va bien ! Nous sommes aussi bouffons que nos patrons, mais nous sommes plus sages.

CLÉANTHIS

Oh ! vous riez, vous gâtez tout.

ARLEQUIN

Ah ! ah ! par ma foi, vous êtes bien aimable et moi aussi. Savez-vous ce que je pense ?

CLÉANTHIS

Quoi ?

ARLEQUIN

Premièrement, vous ne m'aimez pas, sinon par coquetterie, comme le grand monde.

CLÉANTHIS

Pas encore, mais il ne s'en fallait plus que d'un mot, quand vous m'avez interrompue. Et vous, m'aimez-vous ?

---

1. Affaires de cœur.

ARLEQUIN

J'y allais aussi, quand il m'est venu une pensée. Comment trouvez-vous mon Arlequin ?

CLÉANTHIS

Fort à mon gré. Mais que dites-vous de ma suivante ?

ARLEQUIN

Qu'elle est friponne !

CLÉANTHIS

J'entrevois votre pensée.

ARLEQUIN

Voilà ce que c'est ; tombez amoureuse d'Arlequin, et moi de votre suivante. Nous sommes assez forts pour soutenir cela.

CLÉANTHIS

Cette imagination-là me rit[1] assez. Ils ne sauraient mieux faire que de nous aimer, dans le fond.

ARLEQUIN

Ils n'ont jamais rien aimé de si raisonnable, et nous sommes d'excellents partis pour eux.

---

1. Plaît.

CLÉANTHIS

Soit. Inspirez à Arlequin de s'attacher à moi ; faites-lui sentir l'avantage qu'il y trouvera dans la situation où il est ; qu'il m'épouse, il sortira tout d'un coup d'esclavage ; cela est bien aisé, au bout du compte. Je n'étais ces jours passés qu'une esclave ; mais enfin me voilà dame et maîtresse d'aussi bon jeu[1] qu'une autre ; je la suis par hasard ; n'est-ce pas le hasard qui fait tout ? Qu'y a-t-il à dire à cela ? J'ai même un visage de condition[2] ; tout le monde me l'a dit.

ARLEQUIN

Pardi ! je vous prendrais bien, moi, si je n'aimais pas votre suivante un petit brin plus que vous. Conseillez-lui aussi de l'amour pour ma petite personne, qui, comme vous voyez, n'est pas désagréable.

CLÉANTHIS

Vous allez être content ; je vais rappeler Cléanthis, je n'ai qu'un mot à lui dire ; éloignez-vous un instant et revenez. Vous parlerez ensuite à Arlequin pour moi ; car il faut qu'il commence ; mon sexe, la bienséance et ma dignité le veulent.

ARLEQUIN

Oh ! ils le veulent, si vous voulez ; car dans le grand monde

1. Jeu honnête.
2. De condition noble, qui appartient à la noblesse.

on n'est pas si façonnier[1] ; et, sans faire semblant de rien, vous pourriez lui jeter quelque petit mot clair à l'aventure[2] pour lui donner courage, à cause que vous êtes plus que lui, c'est l'ordre.

CLÉANTHIS

C'est assez bien raisonner. Effectivement, dans le cas où je suis, il pourrait y avoir de la petitesse à m'assujettir à de certaines formalités qui ne me regardent plus ; je comprends cela à merveille ; mais parlez-lui toujours, je vais dire un mot à Cléanthis ; tirez-vous à quartier[3] pour un moment.

ARLEQUIN

Vantez mon mérite ; prêtez-m'en un peu à charge de revanche.

CLÉANTHIS

Laissez-moi faire. *(Elle appelle Euphrosine.)* Cléanthis !

---

1. Maniéré.
2. Par hasard.
3. Éloignez-vous.

SCÈNE 7

CLÉANTHIS, EUPHROSINE, *qui vient doucement.*

CLÉANTHIS

Approchez et accoutumez-vous à aller plus vite car je ne saurais attendre.

EUPHROSINE

De quoi s'agit-il ?

CLÉANTHIS

Venez-çà, écoutez-moi. Un honnête homme vient de me témoigner qu'il vous aime ; c'est Iphicrate.

EUPHROSINE

Lequel ?

CLÉANTHIS

Lequel ? Y en a-t-il deux ici ? c'est celui qui vient de me quitter.

EUPHROSINE

Eh ! que veut-il que je fasse de son amour ?

CLÉANTHIS

Eh ! qu'avez-vous fait de l'amour de ceux qui vous aimaient ? vous voilà bien étourdie ! est-ce le mot d'amour qui vous effarouche ? Vous le connaissez tant cet amour ! vous n'avez jusqu'ici regardé les gens que pour leur en donner ; vos beaux yeux n'ont fait que cela ; dédaignent-ils la conquête du seigneur Iphicrate ? Il ne vous fera pas de révérences penchées ; vous ne lui trouverez point de contenance ridicule, d'air évaporé ; ce n'est point une tête légère, un petit badin, un petit perfide, un joli volage, un aimable indiscret ; ce n'est point tout cela ; ces grâces-là lui manquent à la vérité ; ce n'est qu'un homme simple dans ses manières, qui n'a pas l'esprit de se donner des airs ; qui vous dira qu'il vous aime seulement parce que cela sera vrai ; enfin ce n'est qu'un bon cœur, voilà tout ; et cela est fâcheux, cela ne pique[1] point. Mais vous avez l'esprit raisonnable ; je vous destine à lui, il fera votre fortune ici, et vous aurez la bonté d'estimer son amour, et vous y serez sensible, entendez-vous ? Vous vous conformerez à mes intentions, je l'espère ; imaginez vous-même que je le veux.

EUPHROSINE

Où suis-je ! et quand cela finira-t-il ?

Elle rêve[2].

1. Flatte.
2. Médite.

SCÈNE 8

ARLEQUIN, EUPHROSINE.

Arlequin arrive en saluant Cléanthis qui sort. Il va tirer Euphrosine par la manche.

EUPHROSINE

Que me voulez-vous ?

ARLEQUIN, *riant.*

Eh ! eh ! eh ! ne vous a-t-on pas parlé de moi ?

EUPHROSINE

Laissez-moi, je vous prie.

ARLEQUIN

Eh ! là, là, regardez-moi dans l'œil pour deviner ma pensée.

EUPHROSINE

Eh ! pensez ce qu'il vous plaira.

ARLEQUIN

M'entendez-vous un peu ?

EUPHROSINE

Non.

ARLEQUIN

C'est que je n'ai encore rien dit.

EUPHROSINE, *impatiente.*

Ah !

ARLEQUIN

Ne mentez point ; on vous a communiqué les sentiments de mon âme ; rien n'est plus obligeant pour vous.

EUPHROSINE

Quel état !

ARLEQUIN

Vous me trouvez un peu nigaud, n'est-il pas vrai ? Mais cela se passera ; c'est que je vous aime, et que je ne sais comment vous le dire.

EUPHROSINE

Vous ?

ARLEQUIN

Eh ! pardi ! oui ; qu'est-ce qu'on peut faire de mieux ? Vous êtes si belle ! il faut bien vous donner son cœur ; aussi bien vous le prendriez de vous-même.

EUPHROSINE

Voici le comble de mon infortune.

ARLEQUIN, *lui regardant les mains.*

Quelles mains ravissantes ! les jolis petits doigts ! que je serais heureux avec cela ! mon petit cœur en ferait bien son profit. Reine, je suis bien tendre, mais vous ne voyez rien. Si vous aviez la charité d'être tendre aussi, oh ! je deviendrais fou tout à fait.

EUPHROSINE

Tu ne l'es que trop.

ARLEQUIN

Je ne le serai jamais tant[1] que vous en êtes digne.

EUPHROSINE

Je ne suis digne que de pitié, mon enfant.

ARLEQUIN

Bon, bon ! à qui est-ce que vous contez cela ? vous êtes digne de toutes les dignités imaginables ; un empereur ne vous vaut pas, ni moi non plus ; mais me voilà, moi, et un empereur n'y est pas ; et un rien qu'on voit vaut mieux que quelque chose qu'on ne voit pas. Qu'en dites-vous ?

---

1. Autant.

EUPHROSINE

Arlequin, il me semble que tu n'as pas le cœur mauvais.

ARLEQUIN

Oh ! il ne s'en fait plus de cette pâte-là ; je suis un mouton.

EUPHROSINE

Respecte donc le malheur que j'éprouve.

ARLEQUIN

Hélas ! je me mettrais à genoux devant lui.

EUPHROSINE

Ne persécute point une infortunée, parce que tu peux la persécuter impunément. Vois l'extrémité où je suis réduite ; et si tu n'as point d'égard au rang que je tenais dans le monde, à ma naissance, à mon éducation, du moins que mes disgrâces[1], que mon esclavage, que ma douleur t'attendrissent. Tu peux ici m'outrager autant que tu le voudras, je suis sans asile et sans défense, je n'ai que mon désespoir pour tout secours, j'ai besoin de la compassion de tout le monde, de la tienne même, Arlequin ; voilà l'état où je suis ; ne le trouves-tu pas assez misérable ? Tu es devenu libre et heureux, cela doit-il te rendre méchant ? Je n'ai pas la force de t'en dire davantage : je ne t'ai jamais fait de mal ; n'ajoute rien à celui que je souffre.

1. Infortunes.

Elle sort.

ARLEQUIN, *abattu, les bras abaissés, et comme immobile.* J'ai perdu la parole.

SCÈNE 9

IPHICRATE, ARLEQUIN.

IPHICRATE

Cléanthis m'a dit que tu voulais t'entretenir avec moi ; que me veux-tu ? as-tu encore quelques nouvelles insultes à me faire ?

ARLEQUIN

Autre personnage qui va me demander encore ma compassion. Je n'ai rien à te dire, mon ami, sinon que je voulais te faire commandement d'aimer la nouvelle Euphrosine ; voilà tout. À qui diantre en as-tu ?

IPHICRATE

Peux-tu me le demander, Arlequin ?

ARLEQUIN

Eh ! pardi, oui, je le peux, puisque je le fais.

IPHICRATE

On m'avait promis que mon esclavage finirait bientôt, mais on me trompe, et c'en est fait, je succombe ; je me meurs, Arlequin, et tu perdras bientôt ce malheureux maître qui ne te croyait pas capable des indignités qu'il a souffertes de toi.

ARLEQUIN

Ah ! il ne nous manquait plus que cela, et nos amours auront bonne mine. Écoute, je te défends de mourir par malice ; par maladie, passe, je te le permets.

IPHICRATE

Les dieux te puniront, Arlequin.

ARLEQUIN

Eh ! de quoi veux-tu qu'ils me punissent ; d'avoir eu du mal toute ma vie ?

IPHICRATE

De ton audace et de tes mépris envers ton maître ; rien ne m'a été aussi sensible, je l'avoue. Tu es né, tu as été élevé avec moi dans la maison de mon père ; le tien y est encore ; il t'avait recommandé ton devoir en partant ; moi-même je t'avais choisi par un sentiment d'amitié pour m'accompagner dans mon voyage ; je croyais que tu m'aimais, et cela m'attachait à toi.

ARLEQUIN, *pleurant.*

Eh ! qui est-ce qui te dit que je ne t'aime plus ?

IPHICRATE

Tu m'aimes, et tu me fais mille injures ?

ARLEQUIN

Parce que je me moque un petit brin de toi ; cela empêche-t-il que je t'aime ? Tu disais bien que tu m'aimais, toi, quand tu me faisais battre ; est-ce que les étrivières[1] sont plus honnêtes que les moqueries ?

IPHICRATE

Je conviens que j'ai pu quelquefois te maltraiter sans trop de sujet[2].

ARLEQUIN

C'est la vérité.

IPHICRATE

Mais par combien de bontés ai-je réparé cela !

ARLEQUIN

Cela n'est pas de ma connaissance.

IPHICRATE

D'ailleurs, ne fallait-il pas te corriger de tes défauts ?

ARLEQUIN

J'ai plus pâti[3] des tiens que des miens ; mes plus grands défauts, c'était ta mauvaise humeur, ton autorité, et le peu de cas que tu faisais de ton pauvre esclave.

---

1. Courroies qui soutiennent les étriers : « donner les étrivières » est le synonyme imagé de *battre*.
2. Motif.
3. Souffert.

IPHICRATE

Va, tu n'es qu'un ingrat au lieu de me secourir ici, de partager mon affliction, de montrer à tes camarades l'exemple d'un attachement qui les eût touchés, qui les eût engagés peut-être à renoncer à leur coutume ou à m'en affranchir, et qui m'eût pénétré moi-même de la plus vive reconnaissance !

ARLEQUIN

Tu as raison, mon ami ; tu me remontres bien mon devoir ici pour toi ; mais tu n'as jamais su le tien pour moi, quand nous étions dans Athènes. Tu veux que je partage ton affliction, et jamais tu n'as partagé la mienne. Eh bien ! va, je dois avoir le cœur meilleur que toi ; car il y a plus longtemps que je souffre, et que je sais ce que c'est que de la peine. Tu m'as battu par amitié : puisque tu le dis, je te le pardonne ; je t'ai raillé par bonne humeur, prends-le en bonne part, et fais-en ton profit. Je parlerai en ta faveur à mes camarades, je les prierai de te renvoyer, et, s'ils ne le veulent pas, je te garderai comme mon ami ; car je ne te ressemble pas, moi ; je n'aurais point le courage d'être heureux à tes dépens.

IPHICRATE, *s'approchant d'Arlequin.*

Mon cher Arlequin, fasse le ciel, après ce que je viens d'entendre, que j'aie la joie de te montrer un jour les sentiments que tu me donnes pour toi ! Va, mon cher enfant, oublie que tu fus mon esclave, et je me ressouviendrais toujours que je ne méritais pas d'être ton maître.

ARLEQUIN

Ne dites donc point comme cela, mon cher patron : si j'avais été votre pareil, je n'aurais peut-être pas mieux valu que vous. C'est à moi à vous demander pardon du mauvais service que je vous ai toujours rendu. Quand vous n'étiez pas raisonnable, c'était ma faute.

IPHICRATE, *l'embrassant.*

Ta générosité me couvre de confusion.

ARLEQUIN

Mon pauvre patron, qu'il y a de plaisir à bien faire ! *(Après quoi il déshabille son maître.)*

IPHICRATE

Que fais-tu, mon cher ami ?

ARLEQUIN

Rendez-moi mon habit, et reprenez le vôtre ; je ne suis pas digne de le porter.

IPHICRATE

Je ne saurais retenir mes larmes. Fais ce que tu voudras.

SCÈNE 10

CLÉANTHIS, EUPHROSINE, IPHICRATE, ARLEQUIN.

CLÉANTHIS, *en entrant avec Euphrosine qui pleure.*

Laissez-moi, je n'ai que faire de vous entendre gémir. *(Et plus près d'Arlequin.)* Qu'est-ce que cela signifie, seigneur Iphicrate ? Pourquoi avez-vous repris votre habit ?

ARLEQUIN, *tendrement.*

C'est qu'il est trop petit pour mon cher ami, et que le sien est trop grand pour moi.

Il embrasse les genoux de son maître.

CLÉANTHIS

Expliquez-moi donc ce que je vois ; il semble que vous lui demandiez pardon ?

ARLEQUIN

C'est pour me châtier de mes insolences.

CLÉANTHIS

Mais enfin notre projet ?

ARLEQUIN

Mais enfin, je veux être un homme de bien ; n'est-ce pas là un beau projet ? je me repens de mes sottises, lui des siennes ;

repentez-vous des vôtres, Madame Euphrosine se repentira aussi ; et vive l'honneur après ! cela fera quatre beaux repentirs, qui nous feront pleurer tant que nous voudrons.

EUPHROSINE

Ah ! ma chère Cléanthis, quel exemple pour vous !

IPHICRATE

Dites plutôt : quel exemple pour nous ! Madame, vous m'en voyez pénétré.

CLÉANTHIS

Ah ! vraiment, nous y voilà avec vos beaux exemples. Voilà de nos gens qui nous méprisent dans le monde, qui font les fiers, qui nous maltraitent, et qui nous regardent comme des vers de terre ; et puis, qui sont trop heureux dans l'occasion de nous trouver cent fois plus honnêtes gens qu'eux. Fi ! que cela est vilain, de n'avoir eu pour mérite que de l'or, de l'argent et des dignités ! C'était bien la peine de faire tant les glorieux ! Où en seriez-vous aujourd'hui, si nous n'avions point d'autre mérite que cela pour vous ? Voyons, ne seriez-vous pas bien attrapés ? Il s'agit de vous pardonner, et pour avoir cette bonté-là, que faut-il être, s'il vous plaît ? Riche ? non ; noble ? non ; grand seigneur ? point du tout. Vous étiez tout cela ; en valiez-vous mieux ? Et que faut-il donc ? Ah ! nous y voici. Il faut avoir le cœur bon, de la vertu et de la raison ; voilà ce qu'il faut, voilà ce qui est estimable, ce qui distingue, ce qui fait qu'un homme est plus qu'un autre. Entendez-vous, Messieurs les honnêtes gens du monde ? Voilà avec quoi l'on donne les beaux exemples que vous demandez et qui vous passent[1]. Et à qui les demandez-vous ? À de pauvres gens que vous avez toujours offensés, maltraités, accablés, tout riches que vous êtes, et qui ont aujourd'hui pitié de vous, tout pauvres qu'ils sont. Estimez-vous à cette heure, faites les superbes, vous aurez bonne grâce ! Allez, vous devriez rougir de honte.

ARLEQUIN

Allons, m'amie, soyons bonnes gens sans le reprocher, faisons du bien sans dire d'injures. Ils sont contrits d'avoir été méchants, cela fait qu'ils nous valent bien ; car quand on se repent, on est bon ; et quand on est bon, on est aussi avancé que nous. Approchez, Madame Euphrosine ; elle vous pardonne ; voici qu'elle pleure ; la rancune s'en va, et votre affaire est faite.

CLÉANTHIS

Il est vrai que je pleure : ce n'est pas le bon cœur qui me manque.

EUPHROSINE, *tristement.*

Ma chère Cléanthis, j'ai abusé de l'autorité que j'avais sur toi, je l'avoue.

---

1. Dépassent.

CLÉANTHIS

Hélas ! comment en aviez-vous le courage ? Mais voilà qui est fait, je veux bien oublier tout ; faites comme vous voudrez. Si vous m'avez fait souffrir, tant pis pour vous ; je ne veux pas avoir à me reprocher la même chose, je vous rends la liberté ; et s'il y avait un vaisseau, je partirais tout à l'heure[1] avec vous : voilà tout le mal que je vous veux ; si vous m'en faites encore, ce ne sera pas ma faute.

ARLEQUIN, *pleurant.*

Ah ! la brave fille ! ah ! le charitable naturel !

IPHICRATE

Êtes-vous contente, Madame ?

EUPHROSINE, *avec attendrissement.*

Viens que je t'embrasse, ma chère Cléanthis.

ARLEQUIN, *à Cléanthis.*

Mettez-vous à genoux pour être encore meilleure qu'elle.

EUPHROSINE

La reconnaissance me laisse à peine la force de te répondre. Ne parle plus de ton esclavage, et ne songe plus désormais qu'à partager avec moi tous les biens que les dieux m'ont donnés, si nous retournons à Athènes.

---

1. Sur-le-champ.

SCÈNE 11

TRIVELIN *et les acteurs précédents.*

TRIVELIN

Que vois-je ? vous pleurez, mes enfants ; vous vous embrassez !

ARLEQUIN

Ah ! vous ne voyez rien ; nous sommes admirables ; nous sommes des rois et des reines. En fin finale[1], la paix est conclue, la vertu a arrangé tout cela ; il ne nous faut plus qu'un bateau et un batelier pour nous en aller : et si vous nous les donnez, vous serez presque aussi honnêtes gens que nous.

TRIVELIN

Et vous, Cléanthis, êtes-vous du même sentiment ?

CLÉANTHIS, *baisant la main de sa maîtresse.*

Je n'ai que faire de vous en dire davantage ; vous voyez ce qu'il en est.

ARLEQUIN, *prenant aussi la main de son maître pour la baiser.*

Voilà aussi mon dernier mot, qui vaut bien des paroles.

---

1. Pour dénouement ultime.

TRIVELIN

Vous me charmez. Embrassez-moi aussi, mes chers enfants ; c'est là ce que j'attendais. Si cela n'était pas arrivé, nous aurions puni vos vengeances, comme nous avons puni leurs duretés. Et vous, Iphicrate, vous, Euphrosine, je vous vois attendris ; je n'ai rien à ajouter aux leçons que vous donne cette aventure. Vous avez été leurs maîtres, et vous en avez mal agi ; ils sont devenus les vôtres, et ils vous pardonnent ; faites vos réflexions là-dessus. La différence des conditions n'est qu'une épreuve que les dieux font sur nous : je ne vous en dis pas davantage. Vous partirez dans deux jours et vous reverrez Athènes. Que la joie à présent, et que les plaisirs succèdent aux chagrins que vous avez sentis, et célèbrent le jour de votre vie le plus profitable.

Après-texte

POUR COMPRENDRE

GROUPEMENT DE TEXTES

INFORMATION/DOCUMENTATION

Lire

1 P. 14-15 et p. 94-95 : combien recensez-vous de caractères typographiques différents sur ces deux doubles pages ? Identifiez chaque type de texte imprimé. Proposez un classement.

2 P. 14 et 94 : comparez les deux listes d'« acteurs ». Proposez pour chacune un classement des personnages en fonction de différents critères.

3 P. 14-15 et p. 94-95 : recensez les indications scéniques de chaque pièce : à qui s'adressent-elles ? pourquoi sont-elles plus abondantes dans *L'Île des esclaves* que dans *La Colonie* ?

4 P. 14-15 et p. 94-95 : par quels noms propres contemporains pensez-vous pouvoir remplacer ceux des « acteurs » de Marivaux ? quel état civil leur imaginez-vous (p. 14) ? dans quel milieu social transposeriez-vous l'action (p. 14 et 94) ?

Écrire

5 Reportez-vous au début de chaque scène de *La Colonie* (p. 15 à 91) et remplissez un tableau de présence des personnages en scène. Notez le nombre de pages de lecture pour chaque scène et signalez les éventuelles présences muettes. Quelles observations faites-vous sur l'importance apparente des différents personnages ? sur le rythme de la pièce ? Faites le même tableau et les mêmes observations avec *L'Île des esclaves* (p. 95 à 158). Puis comparez les deux tableaux.

Chercher

6 Trouvez dans une édition du théâtre complet de Marivaux le compte rendu par le *Mercure* de l'unique représentation, en 1729, de *La Nouvelle Colonie ou la Ligue des femmes*. Notez les différences de distribution, d'intrigues et de titre.

7 Dans la même édition, vous trouverez *L'Île de la raison ou les Petits Hommes* (1727). Lisez la courte préface rédigée par Marivaux après la création et dégagez l'argument par lequel l'auteur explique l'insuccès de sa pièce.

Oral

8 Vous proposez à un producteur une liste de comédiens d'aujourd'hui pour interpréter *La Colonie*, d'abord au théâtre, puis au cinéma, dans une adaptation modernisée (vous devrez justifier votre choix). Même jeu pour *L'Île des esclaves*.

9 Choisissez un rôle dans les listes d'« acteurs » et présentez-vous au public (sans vous servir du texte de Marivaux). On peut évidemment choisir un rôle du sexe opposé.

À SAVOIR

LE LANGAGE DRAMATIQUE : LE DIT ET L'ÉCRIT

La difficulté de lecture du texte de théâtre tient au statut particulier d'un genre littéraire qui ajoute aux problèmes de l'écriture ceux de la représentation : c'est un texte fait de « paroles », « en action ». Aussi a-t-on coutume de distinguer le texte *à dire* (les dialogues) du texte *à lire* (les didascalies). Or, si les didascalies (du grec *didascalia*) sont les « indications données à l'acteur par le poète dramatique », on peut considérer qu'elles sont ce que dit l'auteur à l'acteur. Quant aux dialogues, à dire par les acteurs, s'ils imitent la langue parlée, ils ont d'abord été écrits par l'auteur (sauf dans le cas d'improvisation totale). Les deux lectures se superposent : même quand les didascalies disparaissent à la représentation, elles restent visibles, parce qu'« entendues » par le metteur en scène. Les didascalies initiales lui ont fourni une liste de personnages dont les noms sont révélateurs de leur personnalité (Arthenice, Timagène, Persinet), parfois parce que ce sont des noms d'emplois de théâtre, codifiés (Arlequin, Trivelin, Silvia). Cette liste peut fournir des indications de liens affectifs ou de rapports sociaux pouvant servir de ressort à l'intrigue (« mari de Madame Sorbin », « amant de Lina »). Dans le théâtre classique, surtout dans la tragédie, leur nom suffit à situer les personnages dans un contexte historique ou mythique (Britannicus, Phèdre). Peu d'indications de décor, de costumes, de lumière dans les pièces de Marivaux. Les didascalies fonctionnelles qui structurent l'action permettent de prévoir les changements d'actes, de scènes et les déplacements des acteurs : elles sont utiles dans les scènes de travestissement, si fréquentes chez Marivaux. Maîtres et serviteurs perdent leur nom avec leur habit. Mais l'auteur les désigne toujours de leur nom d'« acteur » initial (*L'Île des esclaves*, sc. 5). Enfin, les didascalies expressives, très rares chez Marivaux, permettent d'éviter parfois des contresens dans un contexte ironique : M. Sorbin « en colère » ou « en dérision », ou bien Arlequin « indifférent » ou « d'un air sérieux ».

Lire

1 Quelle différence de lieu connote la différence d'article dans « **une** île » (p. 15) et « **l'**île des esclaves » (p. 95) ?

2 À l'issue d'une lecture cursive des dialogues de *La Colonie*, pouvez-vous situer « cette île » (p. 16, l. 12) géographiquement et chronologiquement ?

3 Faites de même pour « cette île » (p. 95, l. 3) des esclaves. Laquelle des deux est la mieux localisée ? Laquelle des deux vous semble aujourd'hui la plus vraisemblable ?

4 Quelles circonstances ont fait « aborder » les acteurs dans ces îles (p. 16, l. 12-13 ; p. 24, l. 55-58 ; p. 95, l. 6-7 ; p. 96, l. 10-15) ? Quels faits historiques pouvez-vous mettre en relation avec l'intrigue de chaque pièce (voir contexte historique et culturel, p. 7-8) ?

5 Relevez, dans l'illustration de couverture, les éléments graphiques annonçant le cadre utopique, l'intrigue et les types de personnages.

Écrire

Écrits fonctionnels

6 Reportez-vous au résumé des œuvres (p. 11-12). Reformulez ces résumés détaillés en résumés de quelques lignes pouvant servir de présentation à une explication de texte.

7 À l'aide d'un dictionnaire de langue, rédigez une fiche lexicale (étymologie, emplois, synonymes et dérivation) sur le mot *monde*. Classez les emplois du texte en fonction des différents sens relevés (p. 15, l. 8 ; p. 16, l. 16 ; p. 38, l. 35 ; p. 51, l. 119 ; p. 61, l. 34 ; p. 62, l. 44 ; p. 65, l. 22 ; p. 76, l. 58 ; p. 89, l. 57 ; p. 118, l. 134 ; p. 119, l. 144 ; p. 134, l. 18 ; p. 136, l. 45 ; p. 138, l. 75 ; p. 147, l. 44 ; p. 155, l. 20). Dites quels emplois se sont maintenus jusqu'à notre époque. Donnez des exemples.

Chercher

8 Lisez, au choix, un extrait de l'*Odyssée*, récit attribué à Homère (chap. VII), ou du *Quart Livre* de Rabelais (chap. XXV), ou du *Télémaque* de Fénelon (chap. I), ou de l'*Histoire comique des États et Empires du Soleil* de Cyrano de Bergerac.

9 Au CDI ou sur Internet, procurez-vous des reproductions de tableaux de Watteau et de Chardin, peintres contemporains de Marivaux (voir information/documentation, p. 198).

Oral

10 Présentez l'extrait que vous avez choisi à la question 8 et dites en quoi il relève de la littérature utopique (voir l'encadré « À savoir » ci-dessous). Confrontez plusieurs choix et dégagez des points communs à tous ces récits.

11 Commentez l'un des tableaux choisis à la question 9.

À SAVOIR

L'ÎLE, DU *TOPOS* À L'UTOPIE

Lorsque Thomas More invente l'île d'*Utopia* (1516) pour y situer l'établissement d'une « république » idéale, si nombreux sont les auteurs qui ont choisi l'île pour lieu de l'action que le sens du mot *topos* (*topos* signifie « lieu » en grec) a glissé déjà du « lieu » géographique au « lieu commun » de la pensée jusqu'à se charger à l'époque moderne de connotations péjoratives, en faisant d'un « lieu commun » un synonyme de « poncif » (cliché). Le *topos* littéraire de l'île a évolué, depuis Homère, du passage obligé de la littérature romanesque (il succède en général au *topos* de la tempête, suivi de celui du naufrage) à la référence inévitable des paradis publicitaires. Lorsque Marivaux choisit des îles plutôt que des salons mondains pour mettre en scène ses conversations, il s'inscrit dans un courant « anglomaniaque » très à la mode précisément dans les salons qu'il fréquente : Daniel Defoe a remporté un succès immédiat avec son *Robinson Crusoé* (1719) que Marivaux avait peut-être lu, comme *Les Voyages de Lemuel Gulliver* (1726) de Swift, qui ont pu lui inspirer *L'Île de la raison ou les Petits Hommes*. Ce *topos* littéraire de l'île n'a pu que se renforcer au cours du siècle avec les récits de voyages (Cook et Bougainville) et l'expansion coloniale (voir p. 7-8). Là où Thomas More devait inventer un « nulle part » pour y représenter un « monde à l'envers » idéal, Diderot utilisera Tahiti (*Supplément au Voyage de Bougainville*, 1776) pour prôner une philosophie naturelle à l'opposé de celle de son temps. Tahiti et d'autres îles de Polynésie (Marquises) allaient incarner pour longtemps l'île utopique, au sens d'« idéale » (Gauguin, 1848-1903 ; Brel, 1929-1978). Car le sens de l'*utopie* va glisser par métonymie du sens de « pays imaginaire », où règne un gouvernement idéal (la « République », depuis Platon), à « l'idéal », politique ou social, de paix universelle et d'égalité naturelle, avant de prendre aujourd'hui le sens de « chimère », irréalisable : le pardon des femmes à leur tyran de mari et celui des esclaves à leur bourreau de patron témoignent du scepticisme de Marivaux en matière de progrès social, considéré comme utopique !

PREMIÈRES ESCARMOUCHES : LA GUERRE EST DÉCLARÉE

Lire

1 Par quels procédés l'auteur permet-il au spectateur de reconnaître les « acteurs » sans l'aide des didascalies ?

2 Quel personnage vous semble mener la conversation dans la scène 1 ? la scène 2 ? Comment se manifeste cette prééminence ?

3 Caractérisez le langage de chaque personnage, du point de vue du vocabulaire, de la syntaxe et du « ton », marqué par la ponctuation.

4 Quelles sont les marques de l'accord entre les deux femmes (sc. 1) ? entre les deux hommes (sc. 2) ?

5 Que révèle le petit désaccord d'Arthenice et Mme Sorbin (p. 18, l. 44-51) ? Avez-vous remarqué le même genre de désaccord entre Timagène et M. Sorbin ?

6 Relevez le champ lexical des conditions sociales : à quel type de société se réfère-t-il ?

Écrire

Écrit d'invention

7 Rédigez un monologue explicatif d'Arthenice, dans lequel elle expose les circonstances qui l'ont amenée à se « sauver sur cette île » et précise quel était le « gouvernement » de la patrie qu'elle a quittée (ce monologue pourrait servir de scène d'exposition et remplacer la première page de dialogue).

Chercher

8 Lisez les scènes d'exposition d'une comédie de Molière (*George Dandin*), de Beaumarchais (*Les Noces de Figaro*), de Musset (*On ne badine pas avec l'amour*), de Jarry (*Ubu roi*), de Reza (*« Art »*). Caractérisez d'un adjectif la tonalité de chaque ouverture.

9 Renseignez-vous sur les Amazones, et plus particulièrement sur Penthésilée ; sur Lysistrata, l'héroïne d'Aristophane ; ou sur Olympe de Gouges, l'une des premières « féministes » françaises.

Oral

10 Présentez sous forme d'exposés les résultats de vos recherches effectuées à la question 9.

11 Jouez les trois scènes en tenant compte de vos réponses aux questions 2, 3 et 4.

À SAVOIR

DIALOGUES DE THÉÂTRE : PAROLES ET PARLURES

Le dialogue dramatique (du grec *logos* qui signifie « parole ») désigne la manière dont un auteur dramatique fait parler ses personnages (ses « acteurs » pour Marivaux), même quand les paroles prennent la forme du monologue ou de l'aparté. Aucun monologue dans les deux comédies de Marivaux, et peu d'apartés, mais presque uniquement des paroles qu'échangent les personnages, selon un dispositif qui varie selon les scènes de *La Colonie* : duo (sc. 1 et 3), trio (sc. 5 et 10), quatuor (sc. 2, 4, 12 et 16). Dans la tragédie classique, tous les échanges se font sur le même ton : tous les personnages de Racine ont le style de Racine, la suivante comme la reine, alors que dans la comédie, les différences langagières, les parlures permettent d'individualiser les personnages. « À prendre les choses rigoureusement, il n'y a pas lieu de parler du style d'un auteur comique, mais du style de ses personnages, ni de le juger sur la correction ou l'élégance de sa langue, mais sur la vraisemblance de celle qu'il leur prête » (Frédéric Deloffre, *Une préciosité nouvelle : Marivaux et le marivaudage*). Dans *La Colonie*, comme dans *L'Île des esclaves*, Marivaux fait parler ses personnages selon leur condition sociale : Arthenice et Timagène, aristocrates, parlent dans un autre registre que M. et Mme Sorbin, artisans, et Hermocrate, « bourgeois et philosophe », possède aussi sa parlure. Quand Arlequin devient Iphicrate (*L'Île des esclaves*), il conserve son langage, sauf quand il joue avec Cléanthis à « singer » leurs anciens maîtres. Il en va de même dans toutes les pièces de travestissement de Marivaux. L'individualisation linguistique permet aussi de révéler le caractère du personnage : la vanité d'Arthenice est dans ses hyperboles, la générosité d'Arlequin dans son vocabulaire affectif – ce qui en fait un « acteur » assez éloigné de l'Arlequin codifié des conventions de la *commedia dell'arte* que l'on trouve dans d'autres comédies : Marivaux lui laisse son costume et son accessoire préféré (la bouteille), mais le fait rapidement quitter les lazzi conventionnels pour les paroles et les larmes de « l'homme de bien ».

ENJEUX DU CONFLIT : LIBERTÉ, ÉGALITÉ

Lire

1 Reportez-vous à votre tableau de présence des personnages (voir la question 5 de l'étape 1) : quels nouveaux personnages entrent en scène de la scène 4 à la scène 8 ? quel effet produisent ces entrées (ou sorties) sur le rythme de la pièce ?

2 Repérez, dans les dernières répliques de chaque scène, les indications scéniques intégrées au dialogue.

3 Repérez, à l'intérieur de chaque scène, les différences d'enchaînement des répliques ; classez-les en questions-réponses (ex. : p. 31, l. 9-11), en enchaînements syntaxiques (ex. : p. 31, l. 5-7), en reprises thématiques (ex. : p. 32-33, l. 16-21). Quel type d'enchaînement domine ?

4 Étudiez le couple Persinet-Lina : quel est le trait dominant du langage et du caractère de chacun (sc. 4 et 8) ?

5 Comparez les serments d'Arthenice (p. 38, l. 18-24) et de Mme Sorbin (p. 38, l. 28-33). Quelles sont les différences de forme et de contenu ? Quel effet produit ce contraste ?

Écrire

Écrit d'argumentation

6 Faites l'éloge du mariage dans un développement argumenté (au moins trois arguments) que vous illustrerez d'exemples empruntés aux mœurs d'aujourd'hui.

Écrit d'invention

7 Poursuivez le dialogue entre Lina et sa mère (sans Arthenice), p. 35, l. 16-22, chacune tentant de convaincre l'autre du bien-fondé de son point de vue.

Chercher

8 Recherchez dans le théâtre de Molière des personnages de jeunes filles dont les parents contrarient les sentiments amoureux. Comparez les motifs invoqués par eux avec ceux de Mme Sorbin (ex. : *Tartuffe*, acte II, sc. 1 ; *L'Avare*, acte I, sc. 4 ; *Le Bourgeois gentilhomme*, acte III, sc. 1 et 2).

9 Cherchez des représentations de la femme au XVIIIe siècle, dans les tableaux de Chardin, Lépicié, Liotard, Fragonard et Boucher. Quels types de femmes s'en dégagent ?

Oral

10 Faites la lecture expressive des morceaux choisis à la question 8 ou des scènes 1 à 8 de *La Colonie*.

11 Faites une présentation commentée des tableaux sélectionnés à la question 9.

À SAVOIR

L'ENCHAÎNEMENT DES RÉPLIQUES : RYTHME ET TEMPO

« Les metteurs en scène disent aux acteurs, après une interruption, d'enchaîner. C'est qu'une phrase est une suite de mots aussi solidaires que les maillons d'une chaîne, et un dialogue dramatique une suite de répliques fortement dépendantes les unes des autres » (Pierre Larthomas, *Le Langage dramatique*). De la qualité des enchaînements dépendent donc le rythme de la pièce et les effets liés aux différences de tempo. L'efficacité durable des dialogues de Marivaux doit beaucoup à son « art de la conversation » (Frédéric Deloffre), pratiqué dans les salons, et à sa longue collaboration avec des acteurs de la *commedia dell'arte* rompus à l'improvisation. Mais lorsqu'elle est simplement imprimée, ou destinée à d'anonymes comédiens amateurs d'un théâtre de société comme *La Colonie*, une pièce de Marivaux reste un modèle parfait pour apprenti dramaturge. Aucun risque d'interruption de dialogues entre les scènes : tous les déplacements sur scène et les indications d'entrées et sorties sont intégrés aux dialogues (p. 32-33, l. 20-23 ; p. 36, l. 36-37 ; p. 38, l. 37 ; etc.). La fréquence des enchaînements par répétition ou reprise anaphorique accentue l'effet de liaison (p. 26-27, l. 79-85 ; p. 34, l. 6-9). Chez Marivaux, « c'est avant tout sur le mot qu'on réplique, et non plus sur la chose » (F. Deloffre). Les scènes de trio ou de quatuor donnent toutefois de beaux exemples de liaisons thématiques (sc. 2, 4 et 7). Quant au couple question-réponse, il permet des variations intéressantes de tempo, en brisant les symétries des répliques (stichomythie) ou en les soulignant (p. 21, l. 12-15 ; p. 28-29, l. 97-105). Mais le trait caractéristique qui assure aux différents types d'enchaînements une cohérence parfaite est le jeu des références pronominales et des noms propres qui permet au spectateur de suivre l'intrigue même dans ses nœuds les plus embrouillés.

L'ASSEMBLÉE DES FEMMES : PLAIDOYER *PRO DOMO*

Lire

1 Quelle est la caractéristique dramaturgique de cette scène ? et la caractéristique dialogique ? (Reportez-vous à votre tableau effectué à la question 5 de l'étape 1.)

2 Découpez la scène en plusieurs mouvements, en vous appuyant sur des éléments précis du dialogue ; trouvez un titre à chaque partie.

3 Relevez les éléments qui composent le portrait des femmes, vues par les hommes, puis vues par elles-mêmes.

4 Qu'est-ce qui rassemble les femmes et qu'est-ce qui les désunit ?

5 Quel rôle tient Mme Sorbin dans le débat ? (Appuyez-vous sur la forme syntaxique des répliques et sur le vocabulaire dominant.) A-t-il évolué depuis la première scène ?

Écrire

Écrit fonctionnel

6 Relevez les figures de rhétorique du discours d'Arthenice. Classez-les en figures d'opposition, d'insistance et d'analogie.

Écrit d'argumentation

7 En vous appuyant sur vos réponses aux questions 2, 3, 4 et 6, vous montrerez dans un développement composé comment la double image que Marivaux donne des femmes traduit l'ambiguïté de leur condition.

Chercher

8 Confrontez le féminisme de Marivaux à l'antiféminisme de Rousseau (*Émile*, chap. v) et à la vision utopiste de Swift (voir groupement de textes, p. 185).

9 Complétez la typologie des caractères féminins révélés dans cette scène, avec les deux rôles féminins de *L'Île des esclaves* : quelle image de la femme se dégage des deux pièces ?

Oral

10 Présentez, sous forme de courts exposés, les résultats de vos recherches effectuées aux questions 8 et 9.

11 Faites un bilan, sous forme de débat, des acquis féministes au cours des deux derniers siècles. Analysez-les en les confrontant aux luttes contemporaines.

À SAVOIR

LA CONDITION FÉMININE : PLAIRE ET SE TAIRE

Les héroïnes de *La Colonie* qui décident de « sortir de l'humilité ridicule qu'on [leur] a imposée depuis le commencement du monde » ne sont pas les premières féministes de l'histoire. Déjà les Amazones déclaraient la guerre aux hommes, tuaient leurs enfants mâles et se coupaient un sein pour pouvoir tirer à l'arc. Homère raconte (*Iliade*) comment Achille tua leur reine Penthésilée, bien qu'il en fût amoureux. Moins extrémistes, les femmes rassemblées par Aristophane (*L'Assemblée des femmes*) revendiquent le pouvoir, mais le partagent équitablement avec les hommes. Quant à Lysistrata, dans la pièce éponyme, elle obtient des femmes d'Athènes qu'elles se refusent à leurs maris tant qu'ils ne mettront pas fin à la guerre. On trouve un écho des deux pièces dans *La Colonie*. Mais aucun dramaturge français n'avait avant Marivaux aussi violemment dénoncé « l'oppression » des femmes par leurs « tyrans ». D'autres ont montré la dépendance des femmes qui sont condamnées au couvent quand elles sont dépourvues de dot. Ce fut le sort de Colombe, la fille de Marivaux (voir aussi *La Religieuse* de Diderot, 1760). Certaines tiennent tête à leur père ou à leur mari (Mme Jourdain, dans *Le Bourgeois gentilhomme*), mais elles ne font pas la loi, dans aucun domaine. La seule femme indépendante est la veuve, comme Célimène (*Le Misanthrope*) et Arthenice (p. 38). L'indépendance matérielle leur accorde une certaine liberté sentimentale qui leur est reprochée, alors qu'elle est tolérée pour l'homme. Encore s'agit-il là de l'indépendance et de la liberté des femmes de « condition » (sc. 9). Toutefois, une même revendication les unit : celle d'une éducation égalitaire permettant le même accès au savoir. Malgré l'incontestable évolution des mœurs qui suit le changement de régime, malgré le renom de quelques femmes de lettres, tenant « salon », la condition féminine n'évoluera guère jusqu'à la fin du siècle : « Traitées en mineures pour nos biens, punies en majeures pour nos fautes ! » se lamente Marceline dans *Les Noces de Figaro*, acte III, sc. 6. La Révolution ne changera rien à cette injustice : l'auteur des *Droits de la femme et de la citoyenne* (1791), Olympe de Gouges, sera guillotinée.

Lire

1 Complétez les indications scéniques de la scène 11, afin d'éclairer le jeu de Lina, obéissant à la fois à sa mère (sc. 10) et à son amour pour Persinet.

2 Relevez dans les répliques de Persinet les effets comiques de sa parlure (sc. 12). Comparez-la avec celle d'Arlequin dans *L'Île des esclaves* (sc. 1). En quoi se ressemblent-elles ?

3 Étudiez le personnage d'Hermocrate, d'abord à sa façon de s'adresser aux autres personnages (sc. 12). À qui s'adresse-t-il en priorité ? Sur quel ton ? Quelle opinion a-t-il des femmes ? Pourquoi est-il d'accord avec Mme Sorbin (sc. 13 et 14) ?

4 Quelle philosophie transparaît dans les propos d'Arthenice (sc. 13) ? Est-ce la même qu'exprime Mme Sorbin face aux trois hommes (sc. 14) ? Quelles figures de rhétorique rendent efficace sa tirade (p. 76-77, l. 55-75) ?

5 Pourquoi est-ce Hermocrate qui trouve un stratagème pour gagner la guerre contre les femmes (sc. 16) ? Sur quel aspect du caractère féminin repose sa stratégie (sc. 17) ?

6 Relevez la progression de la dégradation des rapports entre Arthenice et Mme Sorbin, en vous appuyant sur l'évolution de leur langage (sc. 17). Vous pouvez vous reporter à la question 4 de l'étape 3.

Écrire

Écrit d'invention

7 Écrivez un autre dénouement en conservant les mêmes personnages que la scène 18, mais en imaginant une réaction différente des femmes.

Écrit d'argumentation

8 « Toute infidélité déshonore une femme ; je veux que l'homme soit traité de même. » Partagez-vous le « sentiment » d'Arthenice ? Le trouvez-vous équitable ? Justifiez votre point de vue avec au moins trois arguments différents.

Chercher

9 Comparez différentes déclarations des « droits de la femme ». Par exemple, celle d'Olympe de Gouges (1791) avec la *Déclaration universelle des droits de la femme* (1967) et la *Déclaration des droits fondamentaux de la femme afghane* (juin 2000) ; ces textes sont disponibles sur Internet.

Oral

10 Jouez la scène de dénouement inventée à la question 7.

À SAVOIR

LE MARIVAUDAGE OU LE « VOYAGE AU MONDE VRAI »

La Colonie commence par la main tendue d'Arthenice à Mme Sorbin, sa nouvelle « compagne », et se termine par un refus de « Madame l'élue, la noble » d'écouter plus avant « Madame l'artisane », « la Sorbin ». Il a suffi, pour rompre leur « serment mutuel », que le « bourgeois philosophe » fasse allusion à leur différence de « condition » qui n'entraîne pas seulement une différence de « parlure », mais de « sentiment » : « Chacun a sa façon de s'exprimer qui vient de sa façon de sentir » (Jacob, dans *Le Paysan parvenu*). Sa naissance est un « avantage » qui satisfait la vanité d'Arthenice, celle de Mme Sorbin ne l'empêche pas de raisonner « comme Socrate » : « Qu'est-ce que c'est que des noms qui font des gloires ? » Soixante ans avant l'abolition des privilèges, Mme Sorbin propose donc de « supprimer les nobles ». Deux siècles avant les suffragettes, les femmes de *La Colonie* exigent le partage du pouvoir et sont prêtes à presque tout pour l'obtenir (sc. 14). La vision dite « utopique » de *La Colonie* est un miroir fidèle plutôt qu'inversé de la réalité socio-politique de la France sous Louis XV : c'est une société de classes (dont le clergé est curieusement absent), société patriarcale dans laquelle la moitié masculine opprime l'autre moitié féminine de la façon la plus arbitraire qui soit, puisque seul le hasard décide de la « naissance ». L'une et l'autre de ces inégalités sont des motifs de l'œuvre romanesque de Marivaux et de ses journaux. Le dernier comporte un voyage « dans le Nouveau Monde », c'est-à-dire le « monde vrai », qui se définit par « des hommes vrais [...] qui se montrent toujours leur âme à découvert au lieu que la nôtre est toujours masquée ». Sainte-Beuve trouvait le style de Marivaux « minaudier ». C'était oublier que le marivaudage ne s'arrête pas aux échanges entre coquettes et petits-maîtres ; il est à l'œuvre aussi dans les paroles du « petit homme » et des « petites gens », dans les harangues de « la Sorbin » et les imitations de Cléanthis. Dans le marivaudage, « le langage n'est plus le signe de l'action, il en devient la substance même » (Frédéric Deloffre).

Lire

1 Repérez dans les didascalies et les dialogues les repères spatio-temporels de l'action : quel personnage fournit les informations nécessaires à la compréhension de l'action ?

2 Reportez-vous à votre travail personnel des étapes 1 (questions 3 et 5) et 3 (question 3) : quels sont les points communs entre les deux pièces du point de vue du cadre, du langage, de l'intrigue et des accessoires ?

3 Repérez de façon précise le mouvement de chacune des deux scènes, en vous appuyant sur le jeu des pronoms et les didascalies. Relevez la réplique qui oriente la suite de l'intrigue.

4 Quels sont les traits de caractère dominants d'Iphicrate et d'Arlequin qui apparaissent dans ces deux scènes ?

5 À quel personnage de *La Colonie* pouvez-vous comparer Trivelin ? Quelle est sa « charge », telle qu'il la définit dans la scène 2 et telle qu'elle apparaît dans sa tirade ?

6 Relevez tous les traits constitutifs du personnage d'Arlequin : vous fait-il rire ? pourquoi ?

Écrire

Écrits fonctionnels

7 Relevez les mots appartenant au champ lexical du pouvoir : à quelle parlure se rattachent-ils majoritairement ?

8 Faites une étude du champ sémantique du mot *corriger* à l'aide d'un dictionnaire contemporain. Vérifiez les sens des différents emplois dans le texte (p. 103, l. 4 ; p. 105, l. 25-26 ; p. 108, l. 69).

Chercher

9 Lisez des scènes de théâtre montrant les rapports entre un maître et son serviteur : Dom Juan/Sganarelle (*Dom Juan* de Molière, acte V, sc. 2), Frontin/Turcaret (*Turcaret* de Lesage, acte II, sc. 4), Figaro/Almaviva (*Le Barbier de Séville* de Beaumarchais, acte I, sc. 2) et Arlequin/Lélio (*Arlequin sauvage* de Delisle de La Drevetière, voir groupement de textes, p. 190).

10 En vous aidant d'un livre d'histoire sur l'Ancien Régime et de votre étude de *La Colonie*, composez le portrait d'un « maître » et d'un « domestique » du temps de Marivaux.

Oral

11 Jouez les scènes conseillées à la question 9. Veillez à varier les interprétations en fonction des différences de rapports entre maîtres et serviteurs.

À SAVOIR

LA DIFFÉRENCE DES CONDITIONS : « GRAND MONDE » ET « PETITES GENS »

La première réplique de *La Colonie* pose immédiatement la différence de classes (noblesse et tiers état) comme fondement de la société. Le premier échange de *L'Île des esclaves* établit une relation hiérarchique, fondement de l'ordre social. Les deux contextes historiques semblent d'abord différents : le XVIIIe siècle contemporain de Marivaux pour l'une, l'Athènes de l'Antiquité pour l'autre, mais le choix d'un cadre insulaire tirant les deux vers l'utopie brouille les contextes. Si l'on s'en tient au texte seul, on ne trouve pas dans *La Colonie* les trois ordres de l'Ancien Régime (clergé, noblesse, tiers état), mais seulement deux classes : noblesse (Arthenice, Timagène) et tiers état, lui-même hiérarchisé en trois sous-classes (Hermocrate, les Sorbin et Persinet). Quant à *L'Île des esclaves*, elle ne ressemble *a priori* ni à la France monarchique, ni à l'Athènes « démocratique », mais plutôt à la « République » imaginée par Platon ; sa cité idéale est constituée de trois classes : les guerriers (Iphicrate), les magistrats (Trivelin) et les artisans et paysans (ce que pourraient être les esclaves affranchis). Le rapprochement des deux pièces insulaires (auxquelles il conviendrait d'ajouter *L'Île de la raison*) souligne l'absence du clergé (et des dévots) : dans chacune, on évoque « les dieux » (p. 76 et 159) comme image du destin, non comme image d'un pouvoir temporel. Quant aux nobles, ils se voient dans l'obligation de s'allier au tiers état pour conserver leurs privilèges, à commencer par celui du nom : Hermocrate sauve Arthenice menacée de perdre un « avantage » – le même que celui d'Iphicrate et Euphrosine. Pour les nobles, point n'est besoin de préciser à quelle classe ils appartiennent. Le mot s'emploie « absolument » : une femme « de condition » est une femme « noble ». Mais le domestique du XVIIIe siècle, en qui Marivaux voit un « esclave » déshumanisé, ne possède pas même de nom « propre », son maître joue avec, comme le mari avec celui de sa femme. Au moins M. Sorbin n'a-t-il pas recours aux coups de bâton pour soumettre sa femme à la raison du plus fort.

UNE LEÇON POUR LES MAÎTRES : L'ÉPREUVE DU MIROIR

Lire

1 Quels sont les éléments dramaturgiques parallèles dans les scènes 2 et 3 ? Quelles sont les différences significatives du dispositif scénique, de la répartition des répliques, des adresses de Trivelin aux deux femmes ?

2 Comparez l'attitude de Cléanthis (sc. 3) face à Euphrosine, à celle d'Arlequin face à Iphicrate (sc. 2) : les deux esclaves sont-ils soumis au même traitement ? font-ils les mêmes reproches à leurs maîtres ?

3 Notez la progression du portrait de la coquette. Comment pouvez-vous découper la scène 3 ?

4 Quels « sentiments » Euphrosine exprime-t-elle dans la scène 4 ? Comment Trivelin parvient-il à lui faire reconnaître ses défauts ?

5 Comparez l'attitude d'Arlequin (sc. 5) avec celle de Cléanthis (sc. 3). Sur quelle figure de rhétorique est construite la tirade d'Arlequin (sc. 5, l. 48-57) ?

6 Comparez la réaction d'Iphicrate (sc. 5) à celle d'Euphrosine (sc. 4). Lequel des deux vous semble le plus sincère dans l'aveu ?

Écrire

Écrits d'invention

7 Rédigez des didascalies pour aider l'actrice interprétant Cléanthis à jouer le rôle de sa maîtresse (p. 116-117, l. 92-98 et l. 100-118 ; p. 120, l. 172-179).

8 Rédigez en une vingtaine de lignes le portrait d'Euphrosine ou d'Iphicrate, en vous appuyant sur la pantomime de Cléanthis (sc. 3) ou la description d'Arlequin (sc. 5).

Chercher

9 Recherchez des portraits de coquettes dans *Le Misanthrope* de Molière (acte II, sc. 4) et *Les Caractères* de La Bruyère (« Des femmes »), et une leçon de coquetterie dans *La Double Inconstance* de Marivaux (acte I, sc. 3).

Oral

10 Présentez un exposé synthétique sur la coquetterie, telle qu'elle est apparue au cours de vos recherches à la question 9. Vous conclurez en donnant votre point de vue personnel sur ce trait de caractère.

11 Jouez la scène 3, l. 70 à 179, en soulignant tous les effets du « théâtre dans le théâtre ».

À SAVOIR

PORTRAITS DE GENRE : LA COQUETTE ET LE PETIT-MAÎTRE

Le premier « cours d'humanité » pour les maîtres consiste à se regarder, interprétés, comme au théâtre, par leurs serviteurs. De la reconnaissance ou non de leurs « singeries d'amour-propre » dépend l'amélioration de leur condition. Tous les défauts d'Euphrosine, « vaine, minaudière et coquette », comme ceux d'Iphicrate, « étourdi par nature, étourdi par singerie », découlent d'un excès d'amour-propre, *topos* psychologique du discours moraliste aux XVIIe et XVIIIe siècles. Bien avant Rousseau, qui en fait un obstacle à « l'amour de soi » (fierté légitime due au mérite personnel), Marivaux choisit l'amour-propre comme obstacle à l'amour partagé, dans ses pièces sentimentales. On a vu, dans *La Colonie*, que c'est aussi l'amour-propre d'Arthenice qui fait échec à l'amour apparemment sincère pour ses « compagnes ». Elle est prête à renoncer à la coquetterie (l'âge l'y aide !) mais pas au « hochet » de sa « naissance ». Pas plus qu'Euphrosine, moins humiliée de porter la robe de sa servante que de se voir ridiculisée par elle et courtisée par un valet : l'impensable de la situation lui arrache des accents pathétiques. Le portrait d'Iphicrate, apparemment plus sommaire, est en fait plus complexe et se révèle progressivement tout au long de la pièce : un lâche qui n'a plus de force sans son « gourdin », un hypocrite qui simule l'affection pour manipuler son esclave, un opportuniste (courtisan) prêt à tout pour se sortir d'un mauvais pas. Le seigneur Iphicrate (dont le nom signifie en grec « qui gouverne par la violence ») est représentatif d'une classe désœuvrée par l'interruption des guerres : habitués à chercher la gloire en tuant les ennemis du royaume, les petits-maîtres sont montrés par Marivaux condamnés à tirer l'épée contre leur valet désobéissant, quand ils ne transforment pas le boudoir des dames en terrain de « conquêtes » dérisoires (voir *Le Petit-maître corrigé* de Marivaux et *Les Égarements du cœur et de l'esprit* de Crébillon fils, 1736). Le lexique de la séduction est emprunté à celui de la guerre. Pour la femme et l'homme « galants », l'arme la plus sûre est la parure.

UNE LEÇON POUR L'ESCLAVE : L'ÉPREUVE DU DISCOURS

Lire

1 Repérez les mouvements de la scène 6, en vous appuyant sur les didascalies et les adresses du dialogue. Quels mots ou expressions précisent qu'il s'agit d'un jeu ?

2 Notez les effets d'exagération qui font du jeu une parodie. Comparez les réactions des deux acteurs à leur comédie : pourquoi l'un rit et l'autre non ?

3 Quelle différence faites-vous entre la « comédie » imposée par Trivelin (sc. 3, 4 et 5) et celle que jouent Cléanthis et Arlequin (sc. 6) ? Quel but poursuivent-ils ?

4 Quelle importance accordez-vous à la scène 7 ? dans la progression dramatique ? dans la connaissance psychologique des personnages ?

5 Repérez la progression de la scène de séduction d'Euphrosine par Arlequin et les marques successives de son échec : relevez les répliques qui montrent son malaise (sc. 8).

6 Quel est le réseau lexical dominant dans la tirade d'Euphrosine (sc. 8, l. 37-48) ? Quelle est la valeur des impératifs ? des formes interrogatives ? Quelles figures de rhétorique donnent force à son discours ?

Écrire

Écrits fonctionnels

7 Faites une fiche lexicale sur le mot *honnête* (étymologie, emplois, synonymes, dérivés) en vous aidant du dictionnaire *Littré* ou *Trévoux*. Vous classerez ensuite les emplois du texte (p. 21, l. 20 ; p. 25, l. 61 ; p. 121, l. 4 ; p. 127, l. 27 ; p. 135, l. 31 ; p. 155, l. 23 ; p. 156, l. 34 ; p. 158, l. 7).

8 Rédigez des didascalies supplémentaires pour la scène 6, destinées aux acteurs (mimiques, intonations, déplacements).

Écrit d'invention

9 Reformulez la tirade de Cléanthis (p. 142-143, l. 10-27) destinée à convaincre Euphrosine d'épouser Arlequin, comme s'il s'agissait d'une situation contemporaine.

Chercher

10 Comparez la scène 6 avec les scènes 2 à 6 de l'acte II dans *Le Jeu de l'amour et du hasard* et avec la scène 11 de *La Colonie*.

Oral

11 Jouez la scène 6 en variant les indications d'interprétation inventées à la question 8, puis la succession des scènes 6, 7 et 8. On pourra également dire la tirade de Cléanthis reformulée à la question 9.

À SAVOIR

RHÉTORIQUE DU CŒUR : UNE PRÉCIOSITÉ NOUVELLE

« Je suis persuadé qu'il se fait plus de figures un jour de marché à la halle, qu'il ne s'en fait en plusieurs jours d'assemblées académiques » (Du Marsais, *Traité des tropes*, 1730). Le théâtre de Marivaux en est la preuve, nul doute que les parlures des « petites gens » ne soient encore plus imagées que celles du « grand monde ». Si les parlures permettent d'individualiser les personnages d'un point de vue sociologique et psychologique, l'étude des figures permet de reconnaître le style de Marivaux, aux termes hyperboliques qu'il prête à tous : adverbes (« bellement », Sorbin ; « bonnement », Arthenice ; « hardiment », Cléanthis), adjectifs (« inexorable », « admirable », « nonpareille »), ou une combinaison des deux (« absolument incontestable »). On reconnaît là un trait de langue précieuse (voir bibliographie, p. 197-198) qui se manifeste aussi dans la syntaxe : emploi de superlatifs absolus, d'augmentatifs (« le plus gros juron que je sache », « la conjonction du monde la plus favorable », « tous les placards du monde ») et de compléments de caractérisation (« l'humilité ridicule où l'on veut tenir des personnes de notre excellence », Sorbin). Quant aux figures, outre l'hyperbole, tous les « acteurs » de Marivaux manient l'antithèse et l'allégorie (voir étapes 3 à 8) qui sont, parmi les figures de rhétorique traditionnelles, les figures récurrentes de l'esthétique précieuse à l'époque baroque. Comme le recours aux « portraits » (*La Colonie*, sc. 9 ; *L'Île des esclaves*, sc. 3) qui viennent d'un genre apprécié dans les salons des Précieuses. La nouveauté de Marivaux en la matière est sans doute d'avoir redonné à la préciosité sa finalité première : « Elle veut pousser plus avant la connaissance du monde intérieur ; elle désire explorer les zones inconnues de l'âme et apporter des nuances nouvelles d'une délicatesse encore insoupçonnée dans l'analyse des sentiments. Elle conçoit la vie et l'amour, et l'anatomie des cœurs, comme un moyen de culture en soi » (Roger Lathuillère, *La Préciosité : étude historique et linguistique*).

SUCCÈS DU COURS D'HUMANITÉ : UNE LEÇON PROFITABLE ?

Lire

1 Comparez le ton de la scène 9 et celui de la scène 1 : Iphicrate a-t-il cessé de parler en maître ? et Arlequin en valet ?

2 À partir de quel moment précis Arlequin change-t-il d'attitude ? Comment son émotion se manifeste-t-elle ? Comment interprétez-vous les larmes d'Iphicrate (sc. 9) ?

3 Quels sont les motifs de désaccord entre Cléanthis et Arlequin dans la scène 10 ? Observez les pronoms dans la tirade de Cléanthis (p. 155-156, l. 19-41) : à qui s'adresse-t-elle ? en quel nom ?

4 Les pleurs de Cléanthis (sc. 10) ont-ils la même valeur que ceux d'Iphicrate et Arlequin à la scène précédente ? Pourquoi Euphrosine ne pleure-t-elle pas ?

5 Relevez les propos d'Euphrosine qui manifestent sa reconnaissance (sc. 10). Comparez avec la réaction d'Iphicrate (sc. 9).

6 Quelles sont les indications scéniques insérées dans le dialogue de la dernière scène ? Quel sentiment pensez-vous qu'éprouvent Cléanthis et Arlequin en baisant la main de leurs maîtres ?

7 Quelles sont les « leçons » (p. 159, l. 16) de l'« aventure » évoquées par Trivelin ? Quelle phrase peut servir de morale à la pièce (sc. 11) ? En quoi ce jour est-il « profitable » (p. 159, l. 23) ?

Écrire

Écrit d'argumentation

8 Commentez la tirade de Cléanthis (sc. 10, l. 19-41) : en vous appuyant sur le lexique moral, les figures d'opposition et la progression du texte (soutenue par les pronoms), vous montrerez comment Marivaux parvient à rendre compte simultanément du sentiment de révolte de Cléanthis et de son raisonnement rigoureux. Vous conclurez en donnant votre point de vue sur l'importance du personnage dans la pièce.

Écrit d'invention

9 « Nous aurions puni vos vengeances, comme nous avons puni leurs duretés. » Imaginez que, les esclaves s'étant vengés, Trivelin leur annonce quelle sera leur punition, dans une tirade moralisatrice d'une trentaine de lignes.

Chercher

10 Enquêtez sur Arlequin dans la *commedia dell'arte* et la Comédie-Italienne (troupe de Luigi Riccoboni).

Oral

11 Présentez, sous forme d'exposé, votre recherche sur Arlequin, son rôle dans le Théâtre-Italien, puis son évolution dans le Théâtre-Français.

À SAVOIR

ARLEQUIN POLI PAR L'AMOUR

Le dénouement de *L'Île des esclaves*, comme celui de *La Colonie*, peut paraître bien conformiste après les péripéties surprenantes de l'intrigue et les discours audacieux des « opprimés » à leurs oppresseurs : « maîtres » et « seigneurs » par le seul hasard de la naissance, non du mérite. On peut douter en effet de la sincérité du seigneur Timagène s'adressant aux femmes (*La Colonie*, sc. 18), comme de celle du seigneur Iphicrate embrassant Arlequin (*L'Île des esclaves*, sc. 9) ou d'Euphrosine, la « bienveillante », prête à « partager » avec Cléanthis « tous les biens que les dieux [lui ont] donnés ». Certains critiques contemporains avouent leur surprise : « Après un départ si frondeur, cette conclusion est décevante » (M. Cournot, *Le Monde*, 16 novembre 1973). Le cadre insulaire laissait espérer une utopie politique, à la manière de Montesquieu (voir groupement de textes, p. 193), quand on est plus proche d'un psychodrame moderne permettant de représenter les travers humains : vanité, coquetterie, égoïsme, et de les « corriger » par un « cours d'humanité » qui fait rire, du moins au début ; Arlequin, conforme à son emploi traditionnel (le même comédien, Tomaso Vicentini dit « Thomassin », jouait tous les Arlequin de Marivaux et de Goldoni), rit, boit, chante et danse, mais l'auteur l'amène progressivement aux larmes de « compassion ». Tous les hommes de *La Colonie* rient des femmes lorsqu'elles prétendent au statut égalitaire d'« êtres humains ». Tous pleurent quand ils souffrent d'en être séparés. Les esclaves rient de leurs maîtres ridiculisés, mais pleurent de les voir souffrir : « la compassion est une belle chose », disait Sylvia à Arlequin, devenu intelligent depuis qu'il est amoureux, et tellement bon qu'il « pardonne » à la méchante fée qui l'avait séquestré (*Arlequin poli par l'amour*, Marivaux, 1720). Les qualités d'Arlequin, comme le rappelle Cléanthis (sc. 10), sont celles de l'« honnête homme », ni « riche », ni « noble », ni « grand seigneur », ce sont des qualités fondées sur la vertu et non sur la « naissance ».

Lire

1 Quelle scène de *La Colonie* choisiriez-vous pour faire rire avec le dialogue ? avec des jeux de scène ? pour montrer les enjeux de la pièce ? Sélectionnez des scènes de *L'Île des esclaves* avec les mêmes objectifs.

2 Quel contexte historique et géographique vous semble le plus adapté aujourd'hui pour représenter l'action de *La Colonie* ?

3 Vous semble-t-il possible de transposer *L'Île des esclaves* dans un autre lieu que la Grèce, à une autre époque que l'Antiquité ?

4 Relevez, dans chacune des pièces, les scènes de « théâtre dans le théâtre ». Précisez, pour chaque scène, qui sont les « metteurs en scène », les « acteurs » et les « spectateurs » : quel effet produit ce dispositif sur le public des pièces ?

5 Lisez les scènes de théâtre du groupement de textes (p. 184). Comparez-les à vos deux pièces, du point de vue des parlures, de l'enchaînement des répliques, du registre et de la tonalité.

Écrire

Écrit d'argumentation

6 Dans *L'Impromptu de Versailles*, Molière écrit : « L'affaire de la comédie est de représenter, en général, tous les défauts des hommes. » Vous commenterez ce point de vue, en fondant votre analyse sur les deux comédies de Marivaux que vous venez d'étudier.

Écrits d'invention

7 Écrivez la scène d'exposition d'une pièce faisant suite à *La Colonie* : Mme Sorbin explique à sa fille Lina les raisons de son retour au foyer...

8 Écrivez la scène d'exposition d'une suite à *L'Île des esclaves* : Cléanthis et Arlequin, de retour à Athènes, se rencontrent par hasard et se félicitent (ou se désolent) d'avoir retrouvé leur condition d'esclave.

Chercher

9 Cherchez sur Internet des photos, des dessins, des affiches de mises en scène contemporaines de Marivaux. Confrontez-les aux peintures de Watteau, Chardin et Boucher montrant la société française du XVIIIe siècle.

10 Trouvez des reproductions d'œuvres de William Hogarth (1697-1764). Qu'ont-elles de commun avec le théâtre de Marivaux ? et de très différent ?

Oral

11 Discutez de façon contradictoire et argumentée les pièces étudiées.

À SAVOIR

« *CASTIGAT RIDENDO MORES* »

« Elle corrige les mœurs en faisant rire » : telle était la devise des Comédiens-Italiens. À cette époque, le sens du mot *comédie* est en train d'évoluer et Marivaux joue de son ambiguïté : la comédie a toujours son sens premier de « pièce de théâtre » (tous genres confondus) que l'on retrouve dans « Comédie-Française » (pour Théâtre-Français) et « Comédie-Italienne » (pour Théâtre-Italien). L'adjectif *comique* est alors l'exact synonyme de « théâtral », comme dans *L'Illusion comique* (Corneille) ou *Le Roman comique* (Scarron) qui raconte les aventures d'une troupe de comédiens. Au XVIe siècle, la *commedia dell'arte* – « comédie jouée par des gens de métier » – a popularisé la comédie en tant que genre théâtral dont le but est de divertir par tous les moyens (jeux de mots, lazzi, pantomimes). Puis les auteurs classiques ont codifié le genre en s'appuyant sur Aristote, qui n'avait fixé de règles qu'à l'Épopée et à la Tragédie dans son traité sur les genres : *La Poétique*. Molière, dans sa *Critique de « L'École des femmes »* (sc. 6), fait dire à Dorante : « Lorsque vous peignez les hommes, il faut peindre d'après nature. On veut que ces portraits ressemblent : et vous n'avez rien fait, si vous n'y faites reconnaître les gens de votre siècle. » La Comédie, comme la Tragédie, se doit donc d'imiter la nature (*mimesis*) afin de permettre sinon la purification des passions (*catharsis*), du moins la correction des mœurs (« *castigat ridendo mores* »). À l'origine, la *commedia dell'arte* ne cherchait qu'à divertir, et Molière se demandait si « la grande règle de toutes les règles n'est pas de plaire ». Marivaux et ses Comédiens-Italiens vont plus loin : on peut instruire en divertissant et faire œuvre de moraliste. Balzac, dans sa dédicace à Hugo, revendique pour sa *Comédie humaine : scènes de la vie de province* la même fonction (« *qui castigat ridendo mores* »). On peut trouver le « théâtre du monde » de Marivaux peu peuplé : deux couples dans une pièce, trois dans l'autre, plus « un » meneur de jeu pour exploiter les talents de « pénétration » de certains, et donner au public la comédie de l'esclave qui joue la comédie de la coquette qui joue la comédie de l'amoureuse...

VOYAGE EN UTOPIE

On voyage beaucoup au XVIIIe siècle : pour des raisons commerciales et politiques ou par goût du dépaysement et de l'exotisme. On aime raconter ses voyages lointains, comme Tavernier, Chardin et plus tard Cook, dont les récits nourrissent durablement l'imaginaire des écrivains. Il est parfois difficile de faire la part de la fiction et de la réalité dans certains « récits de voyages », tant les auteurs sont habiles à présenter le produit de leur imagination comme d'authentiques « lettres », « journaux », ou « mémoires » (de personnages réels) mystérieusement parvenus entre leurs mains. Daniel Defoe (1660-1731) s'est ainsi fait une spécialité de l'autobiographie fictive (*Robinson Crusoé* ; *Le Roi des pirates*). L'anonymat de certains récits permet une audace, dangereuse pour leur auteur, comme Jonathan Swift (1667-1745), contraint à l'exil pour ses opinions politiques, mais qui peut, impunément, contester l'ordre établi en décrivant des mondes imaginaires, peuplés de « petits hommes », de « géants » ou de « chevaux », plus vertueux que les abominables humains : les yahous ! (texte 1). *L'Île de la raison ou les Petits Hommes* imaginée par Marivaux, peut-être à l'instar de Swift, combine les traits utopiques de ses deux autres pièces insulaires : les femmes y commandent aux hommes et les humains y ont une taille physique proportionnelle à leur raison (texte 2). La confrontation entre notre monde et d'autres mondes aux valeurs inversées constitue le ressort satirique préféré des philosophes. Voltaire l'utilise dans *L'Ingénu* et *Candide* (texte 3). On retrouve le même procédé dans la pièce de Delisle de La Drevetière, auteur à succès, contemporain de Marivaux : son *Arlequin sauvage* (texte 4) ignore la valeur de l'or, comme les habitants de l'Eldorado voltairien. Montesquieu, quant à lui, dans ses *Lettres persanes*, réunit tous les traits communs du « voyage en utopie » : anonymat de la première publication, fiction du témoignage garant d'authenticité, exotisme du point de vue sur la société donnant force à la satire, et valorisation de l'harmonie d'un monde imaginaire fondé sur la vertu (texte 5).

Jonathan Swift (1667-1745)

Les Voyages de Lemuel Gulliver, « Voyage à Lilliput », 1726, traduction de Frédéric Ogée, © Hachette Livre

Lemuel Gulliver ayant fait naufrage est recueilli par les habitants nains de Lilliput, auprès desquels il fait figure de géant. Un autre voyage lui fait rencontrer les géants de Brobdingnag dont le roi l'interroge sur les institutions anglaises qu'il juge sévèrement. Son périple l'amène ensuite chez les Houyhnhnm, peuple de chevaux sages et vertueux, auxquels les humains feraient bien de ressembler ! De même qu'ils pourraient s'inspirer des mœurs en vigueur à Lilliput, notamment en matière d'éducation.

Dans les écoles pour filles, les jeunes demoiselles de qualité sont éduquées de façon très semblable aux garçons, sauf qu'elles sont habillées par des domestiques disciplinées de leur propre sexe, et toujours en présence d'un maître ou d'un assistant, jusqu'à ce qu'elles s'habillent seules, à l'âge

de cinq ans. Et si l'on vient à découvrir que ces nourrices s'avisent de divertir les fillettes avec des histoires effrayantes ou stupides, ou autres niaiseries habituelles si courantes parmi les femmes de chambre chez nous ; elles sont fouettées publiquement trois fois à travers la cité, emprisonnées pendant un an, puis bannies à vie et exilées dans l'une des régions les plus désolées du pays. De la sorte, les jeunes filles ont là-bas autant honte d'être des lâches ou des sottes que les garçons ; elles méprisent tous les ornements personnels autres que ceux nécessaires à la décence et la propreté ; et je n'ai pas perçu non plus de différence dans l'éducation des deux sexes, hormis le fait que les exercices destinés aux filles faisaient dans l'ensemble moins appel à la force physique ; et qu'on leur enseignait certaines règles concernant la vie domestique, de même qu'on exigeait d'elles une moins grande étendue de savoir : car les Lilliputiens ont comme maxime que, parmi les gens de qualité, une épouse devrait toujours être une compagne raisonnable et agréable, car elle ne pourra être toujours jeune.

Quand les filles ont douze ans, ce qui chez eux est l'âge du mariage, leurs parents ou tuteurs les reprennent chez eux, avec force expressions de gratitude pour leurs maîtres, et il n'est pas rare de voir en cette occasion quelques larmes chez la jeune fille et ses compagnes.

Marivaux (1688-1763)

L'Île de la raison ou les Petits Hommes, scène 5, 1727

Des Européens, échappés d'un naufrage, abordent dans une île dont les habitants leur semblent des géants auxquels ils paraissent eux-mêmes de « petits animaux ». Identifiés comme de « petits hommes », ils devront, pour reprendre taille humaine, devenir « raisonnables ». À ce jeu, le « paysan » Blaise « grandit » plus vite que le philosophe ! Le « courtisan », quant à lui, dès qu'il a repris sa taille, en profite pour courtiser Floris, la fille du gouverneur de l'île, oubliant que la « raison » veut ici que la vertu soit défendue par le sexe « fort »…

SCÈNE 5 – FLORIS, LE COURTISAN, BLAISE

FLORIS. – Enfin, le ciel a donc exaucé nos vœux.

LE COURTISAN. – Vous le voyez, Madame.

BLAISE. – Ah ! c'était biau à voir !

FLORIS. – Que vous êtes aimable de cette façon-là !

LE COURTISAN. – Je suis raisonnable, et ce bien-là est sans prix ; mais, après cela, rien ne me flatte tant, dans mon aventure, que le plaisir de pouvoir vous offrir mon cœur.

BLAISE. – Ah ! nous y velà avec son cœur qui va babiller… Apprenez-li un peu son devoir de criauté.

LE COURTISAN. – De quoi ris-tu donc ?

BLAISE. – De rian, de rian ; vous en aurez avis. Dites, Madame ; je m'arrête ici pour voir comment ça fera.

FLORIS. – Vous m'offrez votre cœur, et c'est à moi à vous offrir le mien.

LE COURTISAN. – Je me rappelle en effet d'avoir entendu parler ma sœur dans ce sens-là. Mais en vérité, Madame, j'aurais bien honte de suivre vos lois là-dessus : quand elles ont été faites, vous n'y étiez pas ; si on vous avait vue, on les aurait changées.

BLAISE. – Tarare ! on en aurait vu mille comme elle, que ça n'aurait rian fait. Guarissez de cette autre infirmité-là.

FLORIS. – Je vous conjure, par toute la tendresse que je sens pour vous, de ne me plus tenir ce langage-là.

BLAISE. – Ça nous ravale trop : je sommes ici la force, et velà la faiblesse.

FLORIS. – Souvenez-vous que vous êtes un homme, et qu'il n'y aurait rien de si indécent qu'un abandon si subit à vos mouvements. Votre cœur ne doit point se donner ; c'est bien assez qu'il se laisse surprendre. Je vous instruis contre moi ; je vous apprends à me résister, mais en même temps à mériter ma tendresse et mon estime. Ménagez-moi donc l'honneur de vous vaincre ; que votre amour soit le prix du mien, et non pas un pur don de votre faiblesse : n'avilissez point votre cœur par l'impatience qu'il aurait de se rendre ; et pour vous achever l'idée de ce que vous devez être, n'oubliez pas qu'en nous aimant tous deux, vous devenez, s'il est possible, encore plus comptable de ma vertu que je ne la suis moi-même.

BLAISE. – Pargué ! velà des lois qui connaissont bian la femme, car alles ne s'y fiont guère.

LE COURTISAN. – Il faut donc se rendre à ce qui vous plaît, Madame ?

FLORIS. – Oui, si vous voulez que je vous aime.

LE COURTISAN, *avec transport.* – Si je le veux, Madame ! mon bonheur…

FLORIS. – Arrêtez, de grâce, je sens que je vous mépriserais.

BLAISE. – Tout bellement ; tenez voute amour à deux mains : vous allez comme une brouette.

FLORIS. – Vous me forcerez à vous quitter.

LE COURTISAN. – J'en serais bien fâché.

BLAISE. – Que ne dites-vous que vous en serez bien aise ?

LE COURTISAN. – Je ne saurais parler comme cela.

FLORIS. – Vous ne sauriez donc vous vaincre ? Adieu, je vous quitte ; mon penchant ne serait plus raisonnable.

BLAISE. – Ne velà-t-il pas encore une taille qui va dégringoler ?

LE COURTISAN, *à Floris qui s'en va.* – Madame, écoutez-moi : quoique vous vous en alliez, vous voyez bien que je ne vous arrête point ; et assurément vous devez, ce me semble, être contente de mon indifférence. Quand même vous vous en iriez tout à fait, j'aurais le courage de ne vous point rappeler.

FLORIS. – Cette indifférence-là ne me rebute point ; mais je ne veux point la fatiguer à présent, et je me retire.

Voltaire (1694-1778)

Candide, chapitre XVII, 1759

Chassé de Westphalie, son pays natal, par le baron de Thunder-ten-Tronckh, père de la belle Cunégonde dont il est amoureux, Candide entreprend de retrouver sa bien-aimée au cours d'un périple immense à travers le monde. Après avoir retrouvé, puis reperdu Cunégonde, retenue par le gouverneur de Buenos Aires, Candide poursuit son périple, accompagné de son valet Cacambo, et découvre le pays merveilleux d'Eldorado ; cet épisode paradisiaque est situé au centre du récit (chap. XVII et XVIII), juste avant la description de l'enfer esclavagiste du Surinam.

Chapitre dix-septième
Arrivée de Candide et de son valet au pays d'Eldorado, et ce qu'ils y virent

Le pays était cultivé pour le plaisir comme pour le besoin ; partout l'utile était agréable. Les chemins étaient couverts ou plutôt ornés de voitures d'une forme et d'une matière brillante, portant des hommes et des femmes d'une beauté singulière, traînés rapidement par de gros moutons rouges[1] qui surpassaient en vitesse les plus beaux chevaux d'Andalousie, de Tétuan et de Méquinez[2].

« Voilà pourtant, dit Candide, un pays qui vaut mieux que la Vestphalie. » Il mit pied à terre avec Cacambo auprès du premier village

1 Lamas.
2 Tétouan et Meknès, cités marocaines sous influence espagnole.

qu'il rencontra. Quelques enfants du village, couverts de brocarts d'or tout déchirés, jouaient au palet à l'entrée du bourg ; nos deux hommes de l'autre monde s'amusèrent à les regarder : leurs palets étaient d'assez larges pièces rondes, jaunes, rouges, vertes, qui jetaient un éclat singulier. Il prit envie aux voyageurs d'en ramasser quelques-uns ; c'était de l'or, c'était des émeraudes, des rubis, dont le moindre aurait été le plus grand ornement du trône du Mogol[1]. « Sans doute, dit Cacambo, ces enfants sont les fils du roi du pays, qui jouent au petit palet. » Le magister du village parut dans ce moment pour les faire rentrer à l'école. « Voilà, dit Candide, le précepteur de la famille royale. »

Les petits gueux quittèrent aussitôt le jeu, en laissant à terre leurs palets, et tout ce qui avait servi à leurs divertissements. Candide les ramasse, court au précepteur, et les lui présente humblement, lui faisant entendre par signes que leurs altesses royales avaient oublié leur or et leurs pierreries. Le magister du village, en souriant, les jeta par terre, regarda un moment la figure de Candide avec beaucoup de surprise, et continua son chemin.

Les voyageurs ne manquèrent pas de ramasser l'or, les rubis et les émeraudes. « Où sommes-nous ? s'écria Candide. Il faut que les enfants des rois de ce pays soient bien élevés, puisqu'on leur apprend à mépriser l'or et les pierreries. » Cacambo était aussi surpris que Candide.

Delisle de La Drevetière (1682-1756)

Arlequin sauvage, acte II, scène 3, 1721

Lélio, « rôle de jeune premier amoureux » dans la *commedia dell'arte*, rentre de voyage accompagné d'un « sauvage » : Arlequin, dont il va faire son valet, non sans mal, car ce « sauvage », ignorant tout des mœurs « civilisées », commet inno-

1. Empereur des Indes, à la richesse proverbiale.

cemment des délits. Arlequin s'étant rendu coupable de « vol », Lélio tente de l'initier aux valeurs en cours dans un monde fondé sur l'argent.

LÉLIO. – Oui, avec de l'argent, on ne manque de rien.

ARLEQUIN. – Je trouve cela fort commode et bien inventé. Que ne me le disais-tu d'abord ? Je n'aurais pas risqué de me faire pendre. Apprends-moi donc vite où l'on donne de cet argent, afin que j'en fasse ma provision.

LÉLIO. – On n'en donne point.

ARLEQUIN. – Eh bien ! où faut-il donc que j'aille en prendre ?

LÉLIO. – On n'en prend point aussi.

ARLEQUIN. – Apprends-moi donc à le faire.

LÉLIO. – Encore moins ; tu serais pendu si tu avais fait une seule de ces pièces.

ARLEQUIN. – Eh ! comment diable en avoir donc ? On n'en donne point, on ne peut pas en prendre, il n'est pas permis d'en faire. Je n'entends rien à ce galimatias !

LÉLIO. – Je vais te l'expliquer. Il y a deux sortes de gens parmi nous, les riches et les pauvres. Les riches ont tout l'argent, et les pauvres n'en ont point.

ARLEQUIN. – Fort bien.

LÉLIO. – Ainsi, pour que les pauvres en puissent avoir, ils sont obligés de travailler pour les riches, qui leur donnent de cet argent à proportion du travail qu'ils font pour eux.

ARLEQUIN. – Et que font les riches tandis que les pauvres travaillent pour eux ?

LÉLIO. – Ils dorment, ils se promènent, et passent leur vie à se divertir et à faire bonne chère.

ARLEQUIN. – Cela est bien commode pour les riches.

LÉLIO. – Cette commodité que tu y trouves fait souvent tout leur malheur.

ARLEQUIN. – Pourquoi ?

LÉLIO. – Parce que les richesses ne font que multiplier les besoins des hommes. Les pauvres ne travaillent que pour avoir le nécessaire ; mais les riches travaillent pour le superflu, qui n'a point de bornes chez eux, à cause de l'ambition, du luxe et de la vanité qui les dévorent ; le travail et l'indigence naissent chez eux de leur propre opulence.

ARLEQUIN. – Mais, si cela est ainsi, les riches sont plus pauvres que les pauvres mêmes, puisqu'ils manquent de plus de choses.

LÉLIO. – Tu as raison.

ARLEQUIN. – Écoute, veux-tu que je te dise ce que je pense des nations civilisées ?

LÉLIO. – Oui, qu'en penses-tu ?

ARLEQUIN. – Il faut que je dise la vérité, car je n'ai point d'argent à te donner pour caution de ma parole. Je pense que vous êtes des fous qui croyez être sages, des ignorants qui croyez être habiles, des pauvres qui croyez être riches, et des esclaves qui croyez être libres.

LÉLIO. – Et pourquoi le penses-tu ?

ARLEQUIN. – Parce que c'est la vérité. Vous êtes fous, car vous cherchez avec beaucoup de soins une infinité de choses inutiles ; vous êtes pauvres, parce que vous bornez vos biens dans l'argent ou d'autres diableries, au lieu de jouir simplement de la nature comme nous, qui ne voulons rien avoir afin de jouir plus librement de tout ; vous êtes esclaves de toutes vos possessions, que vous préférez à votre liberté et à vos frères, que vous feriez pendre s'ils vous avaient pris la plus petite partie de ce qui vous est inutile. Enfin vous êtes des ignorants, parce que vous faites consister votre sagesse à savoir les lois, tandis que vous ne connaissez pas la raison qui vous apprendrait à vous passer de lois comme nous.

LÉLIO. – Tu as raison, mon cher Arlequin, nous sommes des fous, mais des fous réduits à la nécessité de l'être.

Montesquieu (1689-1755)

Lettres persanes, lettre XII, 1721 et 1758

Vingt-sept ans avant son œuvre politique maîtresse, *L'Esprit des lois* (1748), dans laquelle il analyse en qualité de juriste et de philosophe tous les types de gouvernements – il y condamne notamment le despotisme (livre II) et l'esclavagisme (livre XV) –, Montesquieu, dès ses *Lettres persanes*, avait, par le filtre d'un regard étranger, critiqué les institutions politiques, religieuses et sociales de la France. Inséré dans une suite de lettres d'Usbek à Mirza, l'apologue des Troglodytes lui permet de montrer, par contraste, l'image du bonheur social fondé sur la vertu.

Lettre XII
Usbek au même[1].
À Ispahan.

Tu as vu, mon cher Mirza, comment les Troglodytes périrent par leur méchanceté même, et furent les victimes de leurs propres injustices. De tant de familles, il n'en resta que deux, qui échappèrent aux malheurs de la nation. Il y avait, dans ce pays, deux hommes bien singuliers : ils avaient de l'humanité ; ils connaissaient la justice ; ils aimaient la vertu : autant liés par la droiture de leur cœur, que par la corruption de celui des autres, ils voyaient la désolation générale, et ne la ressentaient que par la pitié : c'était le motif d'une union nouvelle. Ils travaillaient, avec une sollicitude commune, pour l'intérêt commun ; ils n'avaient de différends,

1. Mirza, le destinataire des lettres d'Usbek.

que ceux qu'une douce et tendre amitié faisait naître ; et, dans l'endroit du pays le plus écarté, séparés de leurs compatriotes indignes de leur présence, ils menaient une vie heureuse et tranquille : la terre semblait produire d'elle-même, cultivée par ces vertueuses mains.

Ils aimaient leurs femmes, et ils en étaient tendrement chéris. Toute leur attention était d'élever leurs enfants à la vertu. Ils leur représentaient sans cesse les malheurs de leurs compatriotes, et leur mettaient devant les yeux cet exemple si triste : ils leur faisaient surtout sentir que l'intérêt des particuliers se trouve toujours dans l'intérêt commun ; que vouloir s'en séparer, c'est vouloir se perdre ; que la vertu n'est point une chose qui doive nous coûter ; qu'il ne faut point la regarder comme un exercice pénible ; et que la justice pour autrui est une charité pour nous.

Ils eurent bientôt la consolation des pères vertueux, qui est d'avoir des enfants qui leur ressemblent. Le jeune peuple qui s'éleva sous leurs yeux s'accrut par d'heureux mariages : le nombre augmenta, l'union fut toujours la même ; et la vertu, bien loin de s'affaiblir dans la multitude, fut fortifiée, au contraire, par un plus grand nombre d'exemples.

Qui pourrait représenter ici le bonheur de ces Troglodytes ? Un peuple si juste devait être chéri des dieux. Dès qu'il ouvrit les yeux pour les connaître, il apprit à les craindre ; et la religion vint adoucir dans les mœurs ce que la nature y avait laissé de trop rude. […]

Le soir, lorsque les troupeaux quittaient les prairies, et que les bœufs fatigués avaient ramené la charrue, ils s'assemblaient ; et, dans un repas frugal, ils chantaient les injustices des premiers Troglodytes, et leurs malheurs, la vertu renaissante avec un nouveau peuple, et sa félicité : ils célébraient les grandeurs des dieux, leurs faveurs toujours présentes aux hommes qui les implorent, et leur colère inévitable à ceux qui ne les craignent pas : ils décrivaient ensuite les délices de la vie champêtre, et le bonheur d'une condition toujours parée de l'innocence. Bientôt, ils s'abandonnaient à un sommeil que les soins et les chagrins n'interrompaient jamais.

La nature ne fournissait pas moins à leurs désirs qu'à leurs besoins. Dans ce pays heureux, la cupidité était étrangère ; ils se faisaient des présents, où celui qui donnait croyait toujours avoir l'avantage. Le peuple Troglodyte se regardait comme une seule famille : les troupeaux étaient presque toujours confondus ; la seule peine qu'on s'épargnait ordinairement, c'était de les partager.

D'Erzeron,
le 6 de la lune de Gemmadi, 2, 1711.

BIBLIOGRAPHIE

Œuvres de Marivaux

– *Théâtre complet*, éd. de Frédéric Deloffre, Classiques Garnier (2 volumes), 1968 ; mise à jour 1989, puis 1992.

– *Théâtre complet*, éd. d'Henri Coulet et Michel Gilot, La Pléiade (2 volumes), 1994.

Deux éditions de référence, présentant des commentaires éclairants et un glossaire (dans les volumes II) ; *L'Île de la raison, La Nouvelle Colonie* et *L'Île des esclaves* sont dans les tomes I, *La Colonie* dans les tomes II.

– *Journaux et Œuvres diverses*, éd. de Frédéric Deloffre et Michel Gilot, Classiques Garnier, 1969 (1 volume) ; dernière édition 2001.

On y découvre de nombreux rapprochements avec les motifs des pièces insulaires : la condition féminine et le statut des domestiques ; la satire des coquettes et des petits-maîtres, l'éloge de la justice et de la vertu ; le tout dans un style aussi alerte que celui des dialogues de théâtre.

Théâtre du XVIIIe siècle

– *Théâtre du XVIIIe siècle*, éd. de Jacques Truchet, La Pléiade (2 volumes), 1972-1974. L'*Arlequin sauvage* de Delisle de La Drevetière est dans le tome I.

Ouvrages sur Marivaux

– *Une préciosité nouvelle : Marivaux et le marivaudage*, Frédéric Deloffre, Armand Colin, 1955, réédité en 1971.

– *Les Grands Rôles du théâtre de Marivaux*, Maurice Descottes, PUF, 1972.

Revues

– *La Revue Marivaux*, revue annuelle publiée par la Société Marivaux depuis 1990, n° 1 (voir sites Internet).

– *L'Avant-Scène*, revue de théâtre, a consacré son n° 269 à *La Colonie*, créée le 15 juillet 1962 à la Comédie-Française dans une mise en scène de Jean Piat.

Ouvrages généraux

– *Maîtres et valets dans la comédie française du XVIIIe siècle*, Sylvie Howlett, « Bac blanc », Ellipses, 1999.

– *Le Langage dramatique*, Pierre Larthomas, PUF, 1980 (nouvelle édition).

– *Absolutisme et Lumières*, Joël Cornette, « Carré Histoire », Hachette Supérieur, 2000.

– *Voyages en Utopie*, Georges Jean, « Découvertes », Gallimard, 1994.
– *La Préciosité : étude historique et linguistique*, Roger Lathuillère, tome I, Droz, 1969.
– *Histoire du féminisme*, Michèle Riot-Sarcey, « Repères », La Découverte, 2002.

FILMOGRAPHIE

– *Que la fête commence !* (1975), réalisé par Bertrand Tavernier. Philippe Noiret y incarne le Régent Philippe d'Orléans et Jean Rochefort l'abbé Dubois. La musique d'Antoine Duhamel est une retranscription de la musique écrite par Philippe d'Orléans.
– *Ridicule !* (1996), réalisé par Patrice Leconte. Charles Berling y incarne un hobereau de province, peu habitué aux codes mondains et que coquettes et petits-maîtres s'acharnent à ridiculiser.
– *L'Esquive* (2003), réalisé par Abdellatif Kechiche, montre les répétitions du *Jeu de l'amour et du hasard* dans un lycée de la banlieue parisienne. On y voit Abdelkrim, dit « Krimo », tomber amoureux de Lydia qui répète le rôle de Silvia. Trop timide pour se déclarer, il espère se faire comprendre en endossant le costume d'Arlequin et le discours que Marivaux lui prête.
– La Comédie-Française commercialise des enregistrements vidéo des pièces à son catalogue. On y trouve notamment *Le Jeu de l'amour et du hasard* (1980), mais pas *La Colonie* (1962), ni *L'Île des esclaves* (1965).
– La télévision rediffuse parfois le téléfilm de Marcel Bluwal, *Le Jeu de l'amour et du hasard*, tourné au château de Montgeoffrey (1967) avec Jean-Pierre Cassel et Danièle Lebrun dans les rôles de Dorante et Silvia, Claude Brasseur et Françoise Giret dans les rôles d'Arlequin et Lisette.

VISITES

– Le musée du Louvre (34, quai du Louvre – 75001 Paris) possède une riche collection d'œuvres représentatives du XVIIIe siècle français.
– On pourra aussi consulter, pour les recherches proposées, les catalogues des expositions du Grand Palais, édités par les Éditions de la Réunion des Musées nationaux, à Paris : *Watteau* (1984), *Boucher* (1986), *Chardin* (1999).

INTERNET

– http ://www.revuemarivaux.org
– http ://www.louvre.fr

– http ://www.cite-musique.fr
– http ://www.comedie-francaise.fr
– http ://www.athenaeum.ch
Ce site propose une promenade à la Saline d'Arc-et-Senans de Claude-Nicolas Ledoux, nom de l'architecte de Louis XV, dont les projets et certaines réalisations peuvent être qualifiés d'utopiques, au sens de « tentatives de représentation d'une cité idéale pour une communauté heureuse ». Œuvre qui permet de faire le lien entre « utopie sociale » et « architecture ».
– http ://www.libre-esprit/commedia-art
Site sur le théâtre italien : personnages, langage, lazzi, etc.

SÉRIE « LES GRANDS CONTEMPORAINS PRÉSENTENT »

D. Daeninckx présente *21 récits policiers*
L. Gaudé présente *13 extraits de tragédies*
A. Nothomb présente *20 récits de soi*
K. Pancol présente *21 textes sur le sentiment amoureux*
É.-E. Schmitt présente *13 récits d'enfance et d'adolescence*
B. Werber présente *20 récits d'anticipation et de science-fiction*

Adam, *Je vais bien, ne t'en fais pas*
Alain-Fournier, *Le Grand Meaulnes*
Anouilh, *L'Hurluberlu – Pièce grinçante*
Anouilh, *Pièces roses*
Anouilh, *La Répétition ou l'Amour puni*
Balzac, *La Bourse*
Barbara, *L'Assassinat du Pont-Rouge*
Begag, *Salam Ouessant*
Bégaudeau, *Le Problème*
Ben Jelloun, Chedid, Desplechin, Ernaux, *Récits d'enfance*
Benoit, *L'Atlantide*
Boccace, Poe, James, Boyle, etc., *Nouvelles du fléau*
Boisset, *Le Grimoire d'Arkandias*
Boisset, *Nicostratos*
Braun (avec S. Guinoiseau), *Personne ne m'aurait cru, alors je me suis tu*
Brontë, *L'Hôtel Stancliffe*
Calvino, *Le Vicomte pourfendu*
Castan, *Belle des eaux*
Chaine, *Mémoires d'un rat*
Colette, *Claudine à l'école*
Conan Doyle, *Le Monde perdu*
Conan Doyle, *Trois Aventures de Sherlock Holmes*
Corneille, *Le Menteur*
Corneille, *Médée*
Cossery, *Les Hommes oubliés de Dieu*
Coulon, *Le roi n'a pas sommeil*
Courteline, *La Cruche*
Daeninckx, *Cannibale*
Daeninckx, *Histoire et faux-semblants*
Daeninckx, *L'Espoir en contrebande*
Dahl, Bradbury, Borges, Brown, *Nouvelles à chute 2*
Defoe, *Robinson Crusoé*
Diderot, *Supplément au Voyage de Bougainville*
Dorgelès, *Les Croix de bois*
Dostoïevski, *Carnets du sous-sol*
Du Maurier, *Les Oiseaux et deux autres nouvelles*
Du Maurier, *Rebecca*
Dumas, *La Dame pâle*
Dumas, *Le Bagnard de l'Opéra*
Feydeau, *Dormez, je le veux !*
Fioretto, *Et si c'était niais ? – Pastiches contemporains*

Gaudé, *La Mort du roi Tsongor*
Gaudé, *Médée Kali*
Gaudé, *Salina*
Gaudé, *Voyages en terres inconnues – Deux récits sidérants*
Gavalda, Buzzati, Cortázar, Bourgeyx, Kassak, Mérigeau, *Nouvelles à chute*
Germain, *Magnus*
Giraudoux, *La guerre de Troie n'aura pas lieu*
Giraudoux, *Ondine*
Gripari, *Contes de la rue Broca et de la Folie-Méricourt*
Gripari, Dubillard, Grumberg, Tardieu, *Courtes pièces à lire et à jouer*
Grumberg, *Les Vitalabri*
Havel, *Audience*
Higgins Clark, *La Nuit du renard*
Higgins Clark, *Le Billet gagnant et deux autres nouvelles*
Highsmith, Poe, Maupassant, Daudet, *Nouvelles animalières*
Hoffmann, *L'Homme au sable*
Hoffmann, *Mademoiselle de Scudéry*
Huch, *Le Dernier Été*
Hugo, *Claude Gueux*
Hugo, *Théâtre en liberté*
Ionesco, *Rhinocéros et deux autres nouvelles*
Irving, *Faut-il sauver Piggy Sneed ?*
Jacq, *La Fiancée du Nil*
Jarry, *Ubu roi*
Johnson, *La Colline des potences*
Kafka, *La Métamorphose*
Kamanda, *Les Contes du Griot*
King, *Cette impression qui n'a de nom qu'en français et trois autres nouvelles*
King, *La Cadillac de Dolan*
Kipling, *Histoires comme ça*
Kipling, *Le Livre de la jungle*
Klotz, *Killer Kid*
Leblanc, *Arsène Lupin, gentleman-cambrioleur*
Leroux, *Le Mystère de la chambre jaune*
Lewis, *Pourquoi j'ai mangé mon père*
London, *Construire un feu*
London, *L'Appel de la forêt*
Lowery, *La Cicatrice*
Maran, *Batouala*
Marivaux, *La Colonie* suivi de *L'Île des esclaves*
Mérimée, *Tamango*
Michalik, *Le Cercle des illusionnistes*
Michalik, *Edmond*
Michalik, *Le Porteur d'histoire*
Molière, *Dom Juan*
Molière, *George Dandin*
Molière, *Le Sicilien ou l'Amour peintre*
Murakami, *L'éléphant s'évapore* suivi du *Nain qui danse*
Musset, *Lorenzaccio*
Némirovsky, *Jézabel*
Nothomb, *Acide sulfurique*
Nothomb, *Barbe bleue*
Nothomb, *Les Combustibles*

Nothomb, *Métaphysique des tubes*
Nothomb, *Péplum*
Nothomb, *Le Sabotage amoureux*
Nothomb, *Stupeur et Tremblements*
Pergaud, *La Guerre des boutons*
Perrault, Mme d'Aulnoy, etc., *Contes merveilleux*
Petan, *Le Procès du loup*
Poe, Gautier, Maupassant, Gogol, *Nouvelles fantastiques*
Pons, *Délicieuses frayeurs*
Pouchkine, *La Dame de pique*
Reboux et Muller, *À la manière de...*
Renard, *Huit jours à la campagne*
Renard, *Poil de Carotte* (comédie en un acte), suivi de *La Bigote* (comédie en deux actes)
Reza, *« Art »*
Reza, *Le Dieu du carnage*
Reza, *Trois versions de la vie*
Ribes, *Trois pièces facétieuses*
Riel, *La Vierge froide et autres racontars*
Rouquette, *Médée*
Sand, *Marianne*
Schmitt, *Crime parfait et Les Mauvaises Lectures – Deux nouvelles à chute*
Schmitt, *L'Enfant de Noé*
Schmitt, *Hôtel des deux mondes*
Schmitt, *Le Joueur d'échecs*
Schmitt, *Milarepa*
Schmitt, *Monsieur Ibrahim et les fleurs du Coran*
Schmitt, *La Nuit de Valognes*
Schmitt, *Oscar et la dame rose*
Schmitt, *Ulysse from Bagdad*
Schmitt, *Vingt-quatre heures de la vie d'une femme*
Schmitt, *Le Visiteur*
Sévigné, Diderot, Voltaire, Sand, *Lettres choisies*
Signol, *La Grande Île*
Stendhal, *Vanina Vanini*
Stevenson, *Le Cas étrange du Dr Jekyll et de M. Hyde*
Twain, *Les Aventures de Tom Sawyer*
Uhlman, *La Lettre de Conrad*
Vargas, *Debout les morts*
Vargas, *L'Homme à l'envers*
Vargas, *L'Homme aux cercles bleus*
Vargas, *Pars vite et reviens tard*
Vargas, *Sous les vents de Neptune*
Vercel, *Capitaine Conan*
Vercors, *Le Silence de la mer*
Vercors, *Zoo ou l'assassin philanthrope*
Voltaire, *L'Ingénu*
Wells, *La Machine à explorer le temps*
Werth, *33 Jours*
Wilde, *Le Crime de Lord Arthur Savile*
Zola, *Thérèse Raquin*
Zweig, *Le Joueur d'échecs*
Zweig, *Lettre d'une inconnue*
Zweig, *Vingt-quatre heures de la vie d'une femme*

Recueils et anonymes

90 poèmes classiques et contemporains
Les Aventures extraordinaires d'Adèle Blanc-Sec
Ceci n'est pas un conte et autres contes excentriques du XVIII*e siècle*
Ces objets qui nous envahissent : objets cultes, culte des objets
Cette part de rêve que chacun porte en soi
La condition féminine – Littérature d'idées
Contes populaires de Palestine
La Dernière Lettre – Paroles de Résistants fusillés en France (1941-1944)
Histoires vraies – Le Fait divers dans la presse du XVI*e au* XXI*e siècle*
La Farce de Maître Pierre Pathelin
Les Grands Textes du Moyen Âge et du XVI*e siècle*
Les Grands Textes fondateurs
Informer, s'informer, déformer ?
Initiation à la poésie du Moyen Âge à nos jours
Je me souviens
Nouvelles francophones
Poèmes engagés
Pourquoi aller vers l'inconnu ? – 16 récits d'aventures
La Presse dans tous ses états – Lire les journaux du XVII*e au* XXI*e siècle*
La Résistance en poésie – Des poèmes pour résister
La Résistance en prose – Des mots pour résister
Sorcières, génies et autres monstres – 8 contes merveilleux

SÉRIE BANDE DESSINÉE (en coédition avec Casterman)

Beuriot et Richelle, *Amours fragiles – Le Dernier Printemps*
Bilal et Christin, *Les Phalanges de l'Ordre noir*
Comès, *Silence*
Ferrandez et Benacquista, *L'Outremangeur*
Franquin, *Idées noires*
Manchette et Tardi, *Griffu*
Martin, *Alix – L'Enfant grec*
Pagnol et Ferrandez, *L'Eau des collines – Jean de Florette*
Pratt, *Corto Maltese – La Jeunesse de Corto*
Pratt, *Saint-Exupéry – Le Dernier Vol*
Stevenson, Pratt et Milani, *L'Île au trésor*
Tardi et Daeninckx, *Le Der des ders*
Tardi, *Adèle Blanc-sec – Adèle et la Bête*
Tardi, *Adèle Blanc-sec – Le Démon de la Tour Eiffel*
Tardi, *Adieu Brindavoine* suivi de *La Fleur au fusil*
Tito, *Soledad – La Mémoire blessée*
Tito, *Tendre banlieue – Appel au calme*
Utsumi et Taniguchi, *L'Orme du Caucase*
Wagner et Seiter, *Mysteries – Seule contre la loi*

NOTES PERSONNELLES

NOTES PERSONNELLES

Couverture
Conception graphique : Marie-Astrid Bailly-Maître
Adaptation et choix iconographique : Cécile Gallou
Illustration : Chloé Poizat

Intérieur
Conception graphique : Marie-Astrid Bailly-Maître
Réalisation : Nord Compo, Villeneuve-d'Ascq

Éditions Magnard
5 allée de la 2e D.B.
75015 Paris
www.magnard.fr

Achevé d'imprimer en juillet 2019
par «La Tipografica Varese Srl» Varese en Italie
N° éditeur : 2019-0335
Dépôt légal : juin 2004